Lise Tremblay

LA SŒUR DE JUDITH

roman

Boréal

Les Éditions du Boréal reconnaissent l'aide financière du gouvernement
du Canada par l'entremise du Programme d'aide au développement
de l'industrie de l'édition (PADIÉ) pour ses activités d'édition
et remercient le Conseil des Arts du Canada pour son soutien financier.

Les Éditions du Boréal sont inscrites au Programme d'aide
aux entreprises du livre et de l'édition spécialisée de la SODEC
et bénéficient du Programme de crédit d'impôt pour l'édition
de livres du gouvernement du Québec.

© Les Éditions du Boréal 2007
Dépôt légal : 4ᵉ trimestre 2007
Bibliothèque et Archives nationales du Québec

Diffusion au Canada : Dimedia
Diffusion et distribution en Europe : Volumen

Catalogage avant publication de Bibliothèque et Archives nationales
du Québec et Bibliothèque et Archives Canada

    Tremblay, Lise, 1957-

    La Sœur de Judith

    ISBN 978-2-7646-0539-4

    I. Titre.

PS8589.R446S63   2007   C843'.54   C2007-942004-4
PS9589.R446S63   2007

À ma mère qui m'a légué sa révolte
et à mon père qui m'a appris
à raconter des histoires.

Le camelot a jeté le journal du dimanche à moitié mouillé sur le tapis de l'entrée. Dès que je l'ai entendu fermer la porte, je me suis levée en courant. Je voulais être la première à voir la photo de Claire. J'ai pris le journal et j'ai commencé à chercher. La photo était à la page 22 et on voyait Claire encadrée de ses deux parents. Monsieur Lavallée portait un complet. L'article racontait l'histoire de Claire, comment elle était passée du quart de finale à la demi-finale et à la finale du concours de danse. Si elle gagnait, elle allait passer l'année comme danseuse à gogo dans le spectacle d'adieu que Bruce et les Sultans allaient donner partout dans la province. Je n'en revenais pas, si elle gagnait, la sœur de ma meilleure amie allait voir Bruce en personne et peut-être qu'il viendrait chez les Lavallée. Judith et moi, on ne parlait que de ça et on passait une grande partie de notre temps à aider son père à finir le mini-putt avant le début de l'été. Ils avaient un grand terrain et leur père avait décidé de construire son propre mini-putt. Judith et moi, nous l'aidions à étendre le tapis vert sur les formes de ciment pour que la surface soit bien lisse. Le plus dur, ça avait été le chameau. Le tapis avait gardé un pli entre les deux bosses et même si on avait forcé le plus qu'on pouvait, il n'y avait rien eu à faire. Son père s'était résigné. Il avait dit qu'au mini-golf de Jonquière ils avaient une machine spéciale qui coûtait très cher et lui ne pouvait pas se l'acheter. Le chameau allait rester plissé, il n'y pouvait rien.

Le mini-putt était pratiquement fini. Il ne restait que la fabrication des panneaux indiquant le nom des trous. Le père de Judith était en train de les peindre dans son atelier qu'on appelait la boutique. Tous les Lavallée étaient fiers de leur mini-putt. Ils possédaient la plus belle cour. Il y avait des chaises de parterre, des tables, un foyer, une Sainte Vierge, une balançoire. C'est là que nous passions la plus grande partie de notre temps. Parfois, sans trop qu'on sache pourquoi, le père de Judith sortait sur la galerie et nous renvoyait tous chez nous en nous menaçant de nous botter le cul, mais ça n'arrivait pas souvent et il ne s'était vraiment exécuté qu'une fois. C'est Martial Turcotte qui avait écopé. Il faut dire qu'il avait volé le gant de baseball de Régis, le frère infirme de Judith, sous prétexte que, de toute façon, il ne savait pas jouer et qu'il ne jouerait jamais. Régis passait sa vie à traîner avec lui une boîte de carton remplie de fils de couleurs de toutes sortes et de son gant de baseball. Il avait aussi un vieux portefeuille de cuir bourré de cartes de joueurs de hockey et de base-ball qu'il baptisait de noms invraisemblables qui sonnaient un peu comme des noms anglais. Judith disait que Régis était ainsi parce que, lorsqu'il était bébé, il avait eu une méningite. À l'hôpital, on lui avait donné des médicaments trop forts et cela lui avait brûlé des cellules du cerveau. Avant ça, il était normal.

Régis arpentait les rues du quartier à la journée longue et le soir, à l'heure du souper, si on le voyait, il fallait le renvoyer chez lui. Il était épouvantablement laid, mais nous, on était habituées de le voir, on n'y faisait plus attention. Une fois, il était apparu à la fenêtre de madame Bolduc. Il faisait sombre et elle était en train de faire la vaisselle avec sa sœur. Régis avait la manie de s'aplatir la face dans les fenêtres pour regarder à l'intérieur des maisons. Sa sœur avait lâché un grand cri et elle s'était évanouie. C'est madame Bolduc qui l'avait raconté à ma mère mais je ne l'ai jamais dit à Judith, je ne voulais pas lui faire de peine.

Judith et moi, on s'occupait souvent de Régis. On le gardait à la boutique lorsque Claire avait de la visite. Judith disait qu'il fallait prendre le temps d'expliquer la maladie de Régis avant que les amis de Claire le connaissent. Après, Claire nous payait un hot-dog vapeur au Casse-Croûte du Nord et on pouvait s'asseoir dans la même loge qu'elle et elle nous parlait pendant des heures de ses sorties et du monde qu'elle voyait les vendredis soir à la discothèque La Pilule. Judith et moi, c'est comme si on les connaissait. Souvent, on s'enfermait dans la boutique avec une vieille trousse de maquillage et on passait l'après-midi à se farder et à se raconter des histoires inventées sur nos sorties à La Pilule. C'était un de nos jeux préférés mais c'était un jeu secret. On ne sortait jamais de l'atelier sans nous être lavé la figure avec le savon à vaisselle rose que son père utilisait pour se laver les mains qu'il avait toujours tachées d'huile et de graisse à moteur.

J'ai feuilleté le journal et j'ai pensé que je pourrais arracher la page de la photo de Claire avant que ma mère la voie, mais j'ai eu peur qu'elle fasse des histoires et je l'ai laissée dans le journal. Ma mère explose. Elle peut exploser à tout moment sans qu'on s'y attende. Pour la photo de Claire, je me suis dit qu'elle ne la verrait peut-être pas, mais le dimanche elle passe une partie de la journée à scruter chaque ligne du journal. J'ai avalé trois toasts de suite en pensant à ce qu'elle allait dire. Une fois, je ne sais pas ce qui m'a pris mais je lui ai raconté que Claire sortait avec le fils du docteur Blackburn et que, lorsqu'il reviendrait de l'université, ils se marieraient. Toute la famille de Claire ne parlait que de ce prochain mariage. En attendant qu'il revienne, elle continuait de travailler au comptoir cosmétique de la pharmacie Duquesne. D'ailleurs, monsieur Duquesne lui apprenait beaucoup de choses sur les médicaments et parfois, lorsqu'il était parti manger, c'est elle qui remplissait les prescriptions. Mais elle ne faisait ça qu'en attendant. J'avais eu le malheur de rajouter que, lorsque Claire serait mariée, elle ne pourrait plus se permettre de parler au monde de la rue Mésy parce que toutes ses amies seraient les autres femmes de docteur. C'est là que ma mère a explosé. Elle s'est mise à crier que Claire aurait dû entreprendre son cours commercial comme elle lui avait conseillé et qu'il fallait qu'elle soit complètement folle pour croire qu'un fils de docteur du quartier Murdock allait se marier avec une fille de réparateur de tondeuses. Et là, elle est repartie sur son histoire d'instruction qui est la chose la plus importante pour une femme parce qu'avec les hommes on ne sait jamais et que dans la vie il faut être en mesure de se faire vivre. Et surtout, j'avais besoin de me mettre dans la tête qu'elle ne voulait pas entendre parler de garçons parce que j'allais avoir affaire à elle. Lorsqu'elle s'emporte comme ça, je finis par aller dans ma chambre pour lire ou pour penser à Bruce. Ma mère me faisait peur. À chaque fois, je me disais que j'aurais dû me taire, que si j'avais fait attention cela ne serait pas arrivé mais, je ne sais pas comment, ça arrivait tout le temps. Pour Claire, ma mère ne comprenait pas qu'elle était la plus belle fille de la ville, que tous les gars de La Pilule voulaient sortir avec elle. Claire allait partir à Montréal et peut-être devenir une vedette ou un mannequin. On allait la voir à la télévision et dans le journal de vedettes que ma mère achète parfois lorsqu'elle pique ses crises et qu'elle dit qu'elle va partir pour toujours et que nous ne la reverrons plus jamais. Ces fois-là, elle met son manteau par-dessus sa vieille robe et elle va au Casse-Croûte boire un coke et parler avec madame Ménard, la propriétaire. Elle passe une heure ou deux à lire son *Échos Vedettes* au comptoir et elle revient avec un gros Saguenay Dry et nous prépare notre repas favori : des hot-chickens avec de la sauce brune en boîte et des frites. L'*Échos Vedettes* est toujours au fond du sac et je me dépêche de le prendre pour aller le lire dans ma chambre. Après, ma mère le donne à madame Bolduc parce qu'elle ramasse les journaux pour le camp de pêche de son mari.

Évidemment, ma mère a vu la photo et ça m'a surprise, elle n'a pas explosé. Tout ce qu'elle a trouvé à dire, c'est : « Pauvre Claire. » Après, elle s'est levée et a fait ce qu'elle fait presque tous les dimanches. Elle a essayé de faire du sucre à la crème. Elle et mon père l'ont brassé pendant une heure et, comme d'habitude, elle l'a raté. Elle a fait un gâteau blanc et a versé le sucre granuleux dessus. Tous les dimanches, c'est le même dessert. Il ne faut pas gaspiller le sucre et le beurre. Le sucre à la crème, c'est la seule chose que ma mère rate en cuisine. Pourtant, à chaque semaine, un peu avant qu'elle se mette à brasser, elle croit toujours que ça y est, qu'elle a réussi, que le sucre n'a pas la même texture que d'habitude. Elle en est toujours certaine, jusqu'à ce qu'elle tourne la cuillère de bois pendant de longues minutes et que, exténuée, elle laisse figer le sucre chaud au fond de la casserole.

J'ai passé le dimanche à lire dans ma chambre. Madame Bolduc m'avait prêté une pile de Delly et je les avais presque finis. Je ne suis pas sortie, il pleuvait trop. Toute la journée, il y a eu du va-et-vient chez les Lavallée. Toutes les sœurs de Judith sont venues avec leur mari. J'imaginais Claire dans son *jump suit* doré qu'elle avait acheté pour la finale du concours. Claire était chanceuse. Judith avait raison d'être fière de sa sœur même si, des fois, Claire lui faisait de la peine en la traitant de face à boutons. Moi, je n'osais jamais lui parler vraiment. Je faisais juste l'écouter et je disparaissais dès qu'elle montrait des signes d'ennui. Je savais bien qu'elle se moquait de moi aussi en me traitant de grosse Gumby, le bonhomme à la face plate. Mais pour rien au monde je n'aurais manqué une de ses histoires.

La face de la sœur directrice est violette. Elle est tellement fâchée que nous ne comprenons pas tout ce qu'elle dit. Elle passe dans les allées et pousse hors des rangs celles qui portent des bas golf. Je suis du nombre. Nous avons du mal à ne pas rire. Elle finit sa tournée et fait reprendre à l'ensemble des filles de l'école une dizaine de chapelet pour éloigner le diable et, enfin, elles peuvent retourner en classe en entonnant : « C'est le mois de Marie, c'est le mois le plus beau. À la Vierge chérie, chantons un chant nouveau. » Je reçois une taloche derrière la tête. Je chantais à tue-tête. La directrice me fait savoir qu'une possédée du démon dans mon genre n'a pas le droit d'implorer la Vierge. Après, moi et les autres « insignifiantes » devions rentrer chez nous pour le reste de la semaine. L'école appellera nos parents.

Il fait beau. Presque toutes celles qui portent des bas golf sont dans ma classe. On a décidé de rester jusqu'à la récréation des garçons de l'école Saint-Charles pour leur raconter ce qui arrive. En attendant, on a relevé nos jupes et les manches de nos blouses pour nous faire bronzer dans le champ en face de l'école. La sœur directrice a passé son temps à sortir sur le balcon pour nous surveiller. Finalement, Roxanne Rondeau s'est levée pour lui faire le signe de *peace and love*. Il n'en fallait pas plus pour que nous nous y mettions toutes. La sœur est rentrée et nous ne l'avons pas revue. Les garçons de l'école Saint-Charles étaient jaloux. Trois jours de congé, comme ça à la fin mai, alors qu'on ne fait que de la révision et qu'il fait chaud dans les classes. Les autres ont fumé. Je ne fume pas, ça me fait vomir. Judith fume, mais chez elle personne ne le sait. C'est moi qui garde ses cigarettes. Je les cache sous celles de mon père dans notre congélateur du sous-sol pour les garder fraîches.

Je suis rentrée vers trois heures parce que je voulais mettre mes culottes courtes et mes sandales. Ma mère était dehors avec madame Bolduc. Je les voyais de loin parce que madame Bolduc montrait un tissu rouge à paillettes à ma mère. Cela devait être pour son spectacle de danse. Madame Bolduc est une championne de danse sociale et c'est ma mère qui fait ses robes. Lorsque je m'approche, je vois que la vieille robe de ma mère est maculée de boue et qu'elle ne touche pas aux tissus. Elle devait être en train de travailler dans le jardin. À la fin mai, elle prépare la terre pour ses semences. Ma mère examine le patron Vogue que madame Bolduc tient devant elle. Je m'approche et regarde le modèle. Ma mère explique à madame Bolduc qu'elle ne pourra pas faire la petite traîne aussi longue parce qu'elle risque de piler dessus en dansant. Madame Bolduc est d'accord, elle n'y avait pas pensé. Ma mère dit que la secrétaire de l'école a téléphoné.

Elle raconte l'histoire à madame Bolduc et elles rient ensemble. Je savais que ma mère n'exploserait pas, pas sur les sœurs. Elle fait partie du comité qui réclame leur départ. D'ailleurs, c'est décidé, elles vont partir. La nouvelle va être officielle la semaine prochaine. Ma mère doit se rendre à l'école avec les autres parents pour l'affaire des bas golf. Selon elle, les sœurs sont trop vieilles : elles ont fait leur temps. L'Église aussi. Ma mère ne va pas à la messe la plupart du temps et, quand elle y va, c'est parce que mon père a insisté. Elle a inventé pour les voisins une vague histoire de ménopause et d'étourdissements. Elle n'en dit pas plus mais je sais que ma mère trouve que les sœurs et l'Église c'est dépassé et que de toute façon lorsqu'on meurt, il n'y a rien. Nous sommes des animaux comme les autres et le mieux qu'on puisse faire, c'est d'engraisser la terre. Toutes ces histoires de religion sont fausses et la plupart des curés sont malhonnêtes et voleurs. Elle le sait, elle a deux cousins qui ont volé le monde en Abitibi. Lorsqu'elle explose là-dessus, mon père la fait taire et lui répète : « Voyons, Simone, là tu vas trop loin. » D'ailleurs, mon père, on dirait qu'il a deux phrases : une pour ma mère et une pour moi. Lorsque je tiens tête à ma mère et qu'elle fait semblant de tomber malade et n'en finit pas de pleurer de rage dans son lit, mon père finit par venir me voir et me demander d'être raisonnable. « Il faut que tu sois raisonnable. » Il me répète cette phrase à tout bout de champ, à croire qu'il n'a que cela à me dire.

Nous avons eu congé jusqu'au lundi et il a fait beau tous les jours. Tous les panneaux du mini-putt sont installés et, le soir, je joue avec Judith. Je déteste le mini-putt, mais il n'y a que ça à faire et Judith y tient. Elle a un petit cahier quadrillé dans lequel elle inscrit le score de chaque trou. Elle gagne tout le temps, je joue mal et je ne sais pas trop comment frapper la balle. En plus, je m'en fous, tout ce que je veux, c'est d'être avec Judith et voir Claire se pratiquer pour le concours de danse.

Le lundi, j'ai remis des bas golf. Les parents avaient fait savoir aux sœurs qu'ils nous appuyaient et la commission scolaire aussi. Notre titulaire, sœur Thérèse, nous a boudées toute la journée. Elle avait préparé des piles de feuilles polycopiées remplies d'exercices que nous devions faire jusqu'à la fin de l'année. Au tableau, elle avait écrit qu'elle avait décidé de ne plus nous adresser la parole. Je me suis demandé combien de temps elle allait tenir. La directrice avait dû lui faire la vie dure. Sœur Thérèse est son souffre-douleur, il y a longtemps que nous le savons. C'est pour ça qu'on peut tout faire dans la classe et qu'elle ne nous envoie jamais la voir. Sœur Thérèse est en pleine ménopause et elle est tout le temps épuisée. Elle est grosse et des perles de sueur coulent continuellement sur son front. Elle enseigne avec un ventilateur ouvert à pleine capacité. Elle doit parler plus fort pour couvrir le son du moteur et cela l'épuise encore davantage. Tout ce qu'elle fait tombe à l'eau. Au début de l'année, nous devions faire une prière toutes les heures. Une de nous avait la garde de la cloche et devait la sonner pour nous avertir. Mais c'est vite devenu intenable. La cloche tombait par terre, on oubliait l'heure, Roxanne Rondeau la faisait sonner à tout bout de champ, pour rien, pour irriter la sœur.

Sœur Thérèse, un avant-midi où une grosse tempête de neige devait nous exciter, s'était précipitée sur la cloche qui venait de tomber par terre et l'avait lancée au fond d'un de ses tiroirs. Finies les invocations à la Vierge et à notre Ange gardien. Elle avait aussi instauré un système de points consistant à souligner notre bonne conduite. Sœur Thérèse avait fabriqué un énorme carton où étaient accrochées des colombes portant nos noms et qui pouvaient glisser sur une ficelle. Le soir, sœur Thérèse montait ou descendait la colombe qui nous représentait. Évidemment, Roxanne s'est mise à donner de petites poussées à sa colombe en cachette. Un vendredi, sa colombe était rendue au ciel. La sœur était tellement fâchée qu'elle est partie et nous sommes restées dans la classe seules une grande partie de l'après-midi à dessiner et à fouiller dans son bureau. Le tableau des colombes a passé l'année derrière la porte. À la fin, il était si détérioré que des oiseaux pendaient dans le vide au bout de leur ficelle.

Sœur Thérèse n'a pas tenu deux jours. Un matin, elle nous a annoncé officiellement le départ des sœurs de la résidence du couvent mais il y avait longtemps que tout le monde le savait. Elle a dit que nous, les grandes de septième, nous allions l'aider à faire le ménage de la bibliothèque de l'école. Il fallait faire le tri des livres que les sœurs allaient rapporter à la maison mère. C'est là que j'ai trouvé les *Brigitte*. Ils n'étaient pas dans l'allée des livres pour les septième. Les sœurs les gardaient derrière le comptoir. Ils étaient presque neufs. Il y avait même des pages qui n'étaient pas séparées. Ça m'a intéressée tout de suite parce que ça avait l'air de livres pour adultes. J'ai demandé à la sœur si je pouvais les emprunter et, sans même regarder, elle a dit qu'elle me les donnait, ça ferait ça de moins à transporter. Je suis allée les mettre dans mon sac tout de suite. Il y en avait sept. J'ai commencé à les lire le midi même. C'étaient les meilleurs livres que j'avais jamais lus. Ça se passait à Paris, et Brigitte était une belle femme qui faisait des efforts pour ne pas être vaniteuse et qui était mariée à un artiste peintre de grand talent et qui avait beaucoup souffert dans sa vie. Il boitait d'une jambe à cause d'une blessure de guerre et c'était un homme très sensible. Brigitte devait toujours le ménager. Le premier livre racontait l'histoire de leur rencontre et la façon dont Brigitte avait compris quel était le destin d'une femme mariée. Elle tenait bien sa maison, faisait des balades aux Tuileries, une sorte de parc dans Paris. Elle était calme, pliait du linge de maison dans une grande armoire et comprenait les émotions de son mari et, dans les autres livres, celles de ses enfants. Je n'en revenais pas qu'une telle mère puisse exister. Peut-être que c'était parce qu'elle était française. Elle n'explosait jamais, était toujours bien mise, passait son temps à prier pour tout le monde. Rien à voir avec les mères que je connaissais, la mienne était une bombe, madame Bolduc buvait de la bière en cachette et avait tout un système pour ne pas que son mari la surprenne. C'est ma mère qui l'avait expliqué à mon père. J'étais au sous-sol mais j'avais tout entendu. Elle buvait ainsi depuis la mort de sa mère parce qu'elle n'arrêtait pas de dire qu'elle n'avait plus le droit de vivre. Ma mère la trouvait souvent déjà éméchée le matin. Elle avait l'après-midi pour dégriser avant que son mari revienne de l'usine. Notre voisin d'en face avait la réputation de vivre avec deux femmes, la fille et sa mère. Elles ne sortaient jamais et passaient leur été à s'occuper de leurs platebandes. Elles étaient habillées pareil, toujours en robe et toujours avec un tablier à fleurs. Elles ne parlaient à personne dans le quartier sauf à ma mère. La mère de Judith était vieille et elle passait son temps à crier contre Régis et à maudire son sort. Elle ne préparait des repas qu'à Régis et à son mari et les autres devaient se débrouiller. Judith mangeait des toasts aux cretons la plupart du temps et de la soupe Lipton. Ses vrais festins étaient les hot-dogs que Claire lui payait et les repas qu'elle prenait parfois chez nous le dimanche en revenant de la messe. Nous chantions toutes les deux dans la chorale et arrivions affamées. Je savais que ma mère ne la renverrait pas même si elle me ferait des gros yeux qui voulaient dire que je passais mon temps à ramener tout un chacun à manger chez nous. Le dimanche midi, ma mère faisait toujours le même menu : soupe au riz, poulet rôti, salade de chou que je râpais avant de partir pour la messe et patates pilées. Pour dessert, nous avions une tarte au citron Shirriff ou un gâteau blanc garni de son sucre à la crème raté.

Les sœurs sont déménagées avant la fin de l'année. La partie du couvent où elles habitaient avait été vidée et les sœurs enseignantes venaient travailler en taxi de la maison mère. Un matin, sœur Évelyne, celle qui enseignait la musique et les arts plastiques, est arrivée sans son costume. Personne n'a dessiné. C'est Roxanne Rondeau qui a commencé à poser des questions, et puis cela n'a pas arrêté. Sœur Évelyne nous a expliqué que le pape, qui était son père, leur en avait donné la permission et que, pour elle qui enseignait la musique et les arts plastiques, son nouveau tailleur était plus pratique. Roxanne a demandé si elles allaient se mettre en costume de bain. Cela a fait rire sœur Évelyne. Le midi, j'ai raconté l'histoire à ma mère. Elle m'a dit qu'à son avis la sœur Évelyne n'allait pas passer sa vie en communauté et que cela faisait longtemps qu'elle le savait. Elle était trop instruite et trop belle pour finir ses jours entourée de vieilles chipies.

Depuis que les sœurs sont déménagées, la partie du couvent qu'elles habitaient est toujours barrée. Avant, lorsqu'il n'y avait personne en vue, Judith et moi, nous nous aventurions dans le corridor qui menait à la chapelle et à leur résidence. C'était interdit pour les élèves, mais nous nous dépêchions et avions une excuse toute prête. Nous voulions prier à la chapelle. Ce que j'aimais le plus, c'était l'odeur qui se dégageait du plancher. Tout était propre, encore plus propre que chez Rose Lemay, l'ennemie de ma mère. Dans le quartier, madame Lemay possédait une des plus belles maisons. C'était aussi la plus propre. La table de la salle à manger était en verre et toujours étincelante. Il faut dire que Rachelle, la bonne acadienne, qui avait un drôle d'accent et que tout le monde aimait, même ma mère, y était pour quelque chose. Quand ma mère explosait contre la Lemay, tout y passait, ses frères alcooliques qui étaient des trous de cul, son mari qui passait sa vie en voyage et dont on avait entendu dire qu'il rencontrait des femmes dans des motels. Selon ma mère, elle n'avait pas de quoi se pavaner comme ça. Moi, je savais que ce qui rendait ma mère folle, ce n'était pas tant la manière affectée et hautaine que prenait Rose Lemay pour lui parler mais le fait qu'elle pouvait envoyer ses filles à l'école privée et que, l'année prochaine, elles ne seraient pas obligées d'aller à la polyvalente où les filles couchent avec les garçons dans les toilettes et tombent enceintes au bout de trois semaines. Sans parler de la drogue qu'on vend partout dans les corridors. À chaque fois que Rose Lemay s'avançait au bout du terrain pour parler à ma mère, elle abordait tout le temps ce sujet, et ma mère finissait par rentrer dans la maison en voulant la tuer.

Un soir, Judith et moi on est allées dans la cour de l'école pour traîner avec les autres. Depuis que les sœurs sont parties, c'est devenu notre point de rencontre. Un des gars de l'école Saint-Charles a trouvé une fenêtre ouverte du côté de la résidence des sœurs. On est tous entrés. La résidence avait deux étages. Judith et moi on est montées voir les chambres. Elles étaient remplies de boîtes de carton contenant les affaires des sœurs. Nous avions peur de nous faire prendre. J'avais le cœur qui battait vite, mais je n'ai pas pu résister à l'envie d'ouvrir les boîtes. Il y avait des vêtements, des jupons, des coiffes toutes jaunies. J'ai fouillé à travers le linge juste pour voir. Dans une des boîtes, il y avait toutes sortes de cadres avec des images phosphorescentes où le Christ avait les yeux d'un bleu que je n'avais jamais vu. J'en ai volé un. Ça a été plus fort que moi. Judith et moi, on est sorties les dernières. On a eu le temps de voir leur cuisine et leur salon. Il ne restait que les meubles, tous les objets avaient été mis dans des boîtes. Les garçons avaient eu la même idée que nous, plusieurs boîtes étaient éventrées, et leur contenu, vaisselle et nourriture, était répandu sur le sol. Une fois dehors, on a couru comme des folles. J'ai jeté le cadre dans la poubelle de la cabane du terrain de jeu, j'avais trop peur.

Ensuite, il y a eu tout un remue-ménage, même le journal en a parlé, des individus, probablement des jeunes, s'étaient introduits dans le couvent et avaient fait du vandalisme. Sœur Évelyne nous a réunies dans la grande salle et a pris la parole. Depuis des jours, nous n'avions pas vu la directrice. Elle n'a pas crié, elle a expliqué que ceux qui avaient fait cela avaient violé leur intimité et que c'était plus grave que les choses qu'ils avaient volées. Judith et moi, on n'a jamais eu aussi peur de toute notre vie. Judith disait qu'ils allaient retrouver nos empreintes digitales comme dans *Les Enquêtes Jobidon*, son ancienne émission préférée, et qu'ils allaient nous mettre à l'institut Saint-Georges. J'ai dit que cela ne se pouvait pas parce qu'il n'y avait pas de filles à l'institut, juste des gars. Je le savais parce que ma mère n'avait qu'une angoisse concernant mes frères, c'est qu'ils deviennent des délinquants juvéniles comme un des frères de Martial Turcotte et qu'on soit obligés de les placer à l'institut. C'est pour ça qu'elle les avait inscrits au hockey et au baseball et à toutes sortes de sports qui coûtaient cher et que nous avions fini par vendre notre chalet parce qu'ils commençaient à grandir et qu'il fallait les occuper. C'est aussi pour ça que je passe mon samedi seule à faire tout le ménage de la maison pendant qu'ils sont partis.

Finalement, ça a fini par se calmer et on ne s'est pas fait prendre. Sauf qu'on a eu peur pendant longtemps, parce qu'avec la police on ne sait jamais.

Ma mère me regarde en poussant des soupirs. Elle est fâchée parce que je n'arrête pas de fixer madame Bolduc. Elle a du mal à enfiler sa robe en lamé rouge parce qu'elle a trop bu. Elle se lamente sur son sort. Monsieur Bolduc est parti pour la fin de semaine à son camp de pêche et il ne reviendra que dimanche après-midi, à temps pour la soirée de danse, mais ils n'auront pas pratiqué, et en danse, son professeur le dit et le redit, il faut pratiquer, pratiquer et pratiquer. Elle est déçue parce qu'elle pensait qu'ils avaient des chances de l'emporter. Puis elle revient sur son sujet préféré : le cancer de sa mère. J'en connais tous les détails, sa mère a élevé neuf enfants et au moment où elle allait pouvoir profiter de la vie, elle est tombée malade. Madame Bolduc l'a prise chez elle parce que c'était plus proche de l'hôpital, elle l'a soignée, a prié, fait des neuvaines, mais sa mère a fini par mourir. Elle répète pour la centième fois : « Quand elle est morte, elle ne pesait pas plus de quatre-vingts livres. Savez-vous ce que c'est, madame Simone, que de voir une femme qui a pesé cent soixante livres toute sa vie mourir comme ça ? »

Madame Bolduc tourne sur elle-même. La petite traîne en tulle rouge est exactement de la bonne longueur. Ma mère est habile. Elle a dû modifier le patron parce que madame Bolduc n'est pas grande. Elle vérifie le dos, s'assure que le tissu ne poche pas. Selon ma mère, la pire chose sur la terre est de porter une belle robe qui poche dans le dos. Ma mère la fait marcher devant elle, se recule, scrute le bas de la robe. Tout est droit et tout tombe parfaitement. Madame Bolduc va dans la salle de bains pour se regarder dans le miroir. Elle dit que la robe est parfaite comme toujours et que ça, tout le monde le dit, personne ne coud aussi bien que madame Simone. Ma mère la presse d'enlever la robe pour la remettre dans son enveloppe de plastique, on n'est jamais trop prudent avec le lamé.

Madame Bolduc se change devant nous. Elle porte un jupon blanc en dessous de sa robe, parce qu'avec un jupon la robe ne colle pas sur la peau et elle tombe mieux. Ma mère m'envoie dans la cuisine préparer du café. Comme d'habitude, elle a mis du fil partout et il y a des retailles de vêtements et des morceaux de patron éparpillés dans toute la maison, même sur le réfrigérateur. Je sais que je vais ramasser tout ça avant de me coucher parce que si j'attends après ma mère, elle ne le fera pas avant vendredi. Elle ne fait le ménage que le vendredi avant que mon père arrive. Il revient du chantier, après sa semaine de travail. Je ramasse toujours avant de me coucher parce que je n'arrive pas à dormir si la maison est en désordre et c'est toujours à recommencer. Des fois, ça me décourage. Je sais que, lorsque je vais revenir de l'école, ça sera la même histoire. La vaisselle du midi va traîner sur le comptoir et il va y avoir du fil partout. Lorsque je me fâche, ma mère dit que le ménage, ce n'est pas important. Elle préfère coudre et aller parler avec la mère de Judith dans la balançoire. Sinon, elle est dans le jardin. J'ai toujours peur que quelqu'un vienne avant que j'aie eu le temps de nettoyer. D'ailleurs, je sais que les gens parlent dans le quartier et ça me fait honte.

Madame Bolduc me tend sa tasse et me dit d'aller lui remettre de l'eau chaude. Elle peut rester un peu, il est encore tôt et une de ses sœurs est à la maison. Elle raconte pour la centième fois sa déception de ne pas aller en Allemagne avec sa mère, c'était leur projet. Elle ajoute : « Je ne sais pas comment je peux accepter de vivre, d'ailleurs c'est certain, je ne mourrai pas plus vieille que ma mère, ça je ne veux pas, je n'ai pas le droit. »

Là-dessus, Judith est arrivée et elle a dit que la balle lente était commencée et qu'au lieu de jouer au mini-putt on pourrait y aller. Ma mère n'aime pas trop que j'aille au parc de la Colline le soir mais elle est prise pour un bout de temps avec madame Bolduc et, exaspérée, elle dit que je peux y aller mais que je ne dois pas dépasser neuf heures.

Le parc est assez loin, on doit marcher une quinzaine de minutes. Les soirs d'été, c'est toujours plein de monde à cause des parties de balle. Judith et moi on s'assoit dans les gradins et, en faisant semblant de rien, on surveille les garçons du secondaire. C'est ce soir-là qu'on a vu Marius le barbier pour la première fois.

29

Mais on ne savait pas qu'il était barbier. Il jouait dans l'équipe du quartier Saint-Luc. Quartier banni entre tous où ma mère est mieux de ne jamais savoir que j'y ai mis les pieds. C'est, selon elle, le pire quartier de la ville. Il est rempli de petits bums et de voleurs qui vont passer leur vie sur l'assurance-chômage. Pourtant, les gars de l'équipe de Marius n'étaient pas différents des autres. C'est moi qui l'ai vu la première, même si Judith prétend que c'est elle. C'est aussi moi qui ai découvert l'endroit où il travaillait. Mon père m'emmène souvent faire les commissions de dernière minute le samedi après-midi parce qu'il dit que je suis efficace et que je ne traîne pas comme ma mère. Mais ça, il ne le dit qu'à moi, une fois qu'on est dans la voiture. Parfois, on part même sans l'avertir, lorsque ma mère a le dos tourné. Ça la met en maudit mais mon père lui répète tout le temps qu'il commençait à être tard et que le magasin allait être fermé. J'ai vu Marius un samedi, à peu près deux semaines après la partie de balle. Mon père était entré à la Commission des liqueurs pour acheter une cruche de vin pour sa mère. Ma grand-mère Fernande dit que la Commission des liqueurs, ce n'est pas une place pour les femmes. D'ailleurs, j'ai toujours vu juste des hommes y entrer et sortir. Mon père rencontre toujours quelqu'un qu'il connaît et passe du temps à jaser devant la porte. L'hiver passé, avant Noël, j'ai attendu que mon père soit dans le magasin et je suis entrée. Je suis restée près de la porte et lorsqu'il m'a vue, il était fâché et me faisait des signes de sortir. Tout le monde attendait en ligne pour donner leur commande. Le commis disparaissait derrière une porte et on l'entendait crier. Les hommes riaient entre eux et faisaient des blagues sur le temps des fêtes et la boisson. Mon père m'a dit que les enfants n'avaient pas le droit d'entrer et qu'on aurait pu être arrêtés par la police. Je savais que ce n'était pas vrai, il exagérait. Mon père, il n'y a rien qu'il aime plus que de parler avec les gars de la compagnie forestière qu'il rencontre par hasard en ville. Il dit que dans le bois ils n'ont jamais le temps de parler et que, le soir au camp, ils tombent dans leur lit, exténués.

Pendant que mon père attendait pour la cruche, j'ai marché jusqu'à la pâtisserie pour prendre le gâteau que ma mère avait commandé. La pâtisserie est en haut du salon de barbier Chez Pierre. En montant l'escalier, je l'ai vu. Il rasait le cou d'un petit garçon. Je suis restée plantée là. Je n'en revenais pas. Je savais où travaillait le plus beau gars que j'avais jamais vu. Je suis allée chercher le gâteau. La serveuse m'a fait voir l'inscription « Bonne fête grand-maman Cécile ». Ça m'a surprise, je ne savais pas que ma mère avait fait faire une inscription, surtout qu'on n'appelait jamais sa mère de cette façon. Après, je suis retournée à la voiture et mon père parlait toujours avec le gars de la compagnie. Ça m'a paru interminable. J'avais hâte de tout raconter à Judith. J'ai fini par klaxonner mais, en voyant son regard, je me suis arrêtée tout de suite. Dans la voiture, il a bougonné en me disant que j'avais été impolie. J'ai rouspété qu'il fallait mettre le gâteau dans le frigidaire le plus vite possible. En regardant la boîte, il a poussé son soupir habituel à chaque fois qu'il est question de la famille de ma mère.

En arrivant, j'ai couru chez Judith. Toutes ses sœurs étaient parties et on pouvait aller dans le boudoir du sous-sol sans crainte. Judith et moi y allons en cachette. Cela nous est interdit. C'est Claire qui l'a décoré comme une vraie boîte à chansons qu'elle a vue dans son voyage à Percé avec Bruno Blackburn. Il y a des bougies, des filets dans lesquels sont accrochés des quarante-cinq tours qu'elle n'écoute plus et il y a des coussins par terre et son tourne-disque. Judith met toujours Charles Aznavour. Ce n'est pas mon préféré, moi j'aime mieux Alain Barrière, il est plus beau. Je raconte à Judith comment j'ai vu Marius, l'endroit où il travaille, ce qu'il faisait. Elle dit que lorsque l'école sera finie pour vrai, un après-midi, on ira le voir. Je dis O. K. Le salon Chez Pierre est en bas des deux vieilles côtes, en plein quartier Saint-Luc mais je m'en fous, je l'aime trop.

Ma mère s'est frisée, elle a mis la nappe neuve et la vaisselle du set qu'on utilise juste à Noël. Elle est de bonne humeur. Nous attendons que sa mère arrive. Il commence à être tard et nous mourons de faim. À une heure, mon père dit que nous allons commencer à dîner, on les attendra pour le gâteau. Ma mère se lève de la table. Je sais exactement comment tout cela va finir. Mon père pousse son soupir « famille de ma mère ». Ma mère décide de téléphoner. Sa mère est allée manger chez mon oncle. Elle a décidé cela à la dernière minute. Ma mère crie, elle aurait pu appeler. Après ma mère a disparu dans sa chambre. À cinq heures, mon père est allé lui porter du café. Je sais que mon père me fera téléphoner chez Viau pour commander des hot-dogs et un gros sac de patates frites pour souper. Une fois n'est pas coutume. On ira chercher la commande et on mangera sans ma mère. Il lui apportera une soupe Lipton vers sept heures lorsqu'elle sera réveillée. Ma mère passera le reste de la soirée au lit. Elle va se lever demain matin, les yeux enflés parce qu'elle a trop pleuré. Les histoires avec sa mère finissent tout le temps comme ça. Ça me rend triste. Je ne raconte jamais ces histoires à personne, même pas à Judith, ça me fait honte. Je déteste ma grand-mère et en plus elle a une odeur qui me lève le cœur. Elle met trop de poudre rose Avon que ma mère lui a donnée en cadeau. Mon père m'a aidée pour la vaisselle. Il ne parle pas même si je lui dis que ma grand-mère est méchante, que ça finit tou-jours mal et qu'avec la famille de ma mère c'est tou-jours comme ça. Il y a toujours une catastrophe. Cela n'a rien à voir avec ce que je lis dans mes *Brigitte*. Dans sa famille à elle, tout le monde s'entend bien et ils pren-nent les déjeuners du dimanche dans des restaurants chic après avoir assisté à la messe où tout le monde a été sanctifié par Dieu et par la communion. Ils sont pleins d'allégresse. Dans la famille de ma mère, ça finit tou-jours mal. Si ce n'est pas un de ses frères qui vient chez nous au milieu de la nuit complètement saoul et qui lui pleure dans les bras, c'est ma grand-mère qui débarque en disant que si ça continue elle va tuer sa belle-fille parce que tout ce qu'elle veut, c'est voler l'argent de la famille. Si je rouspète, mon père dit qu'ils sont comme ça, qu'on doit l'accepter et que pour ma mère, sa mère c'est sa mère et qu'on ne doit pas parler parce que cela lui fait plus de peine encore. D'ailleurs, je ne parlerais jamais devant ma mère, je ne suis pas folle, je sais bien qu'elle exploserait. Le lendemain, mon père m'a réveillée à cinq heures du matin, avant de partir travailler. D'habitude, ma mère se lève et lui prépare ses vêtements pour la semaine et ses produits de toilette. Il m'a dit de ne pas aller à l'école, de rester avec ma mère parce qu'elle n'était pas bien et surtout d'être raisonnable. Je n'ai pas pu me rendormir. J'avais peur de passer tout droit et que tous les autres arrivent en retard à l'école. J'ai mis la table pour le déjeuner et j'ai pris mon *Brigitte* préféré. C'était celui de la petite Marie et du miracle. Brigitte a une fille qui s'appelle Marie et qui, elle en est certaine, entrera au couvent parce qu'elle a une grande élévation d'âme et qu'elle a été sauvée par miracle d'une grave maladie. Brigitte et son mari étaient allés à Lourdes pour prier et demander la guérison de leur petite sainte. Après, ils avaient compris que Dieu l'avait gardée en vie pour qu'elle puisse prendre le voile.

J'ai réveillé le reste de la famille et je les ai préparés pour l'école. Ma sœur ne voulait pas y aller, elle voulait rester avec moi. On a entendu ma mère crier qu'elle n'avait besoin de personne. Ma sœur est partie et je suis restée comme mon père me l'avait demandé. Vers onze heures ma mère m'a demandé un café. J'avais peur de rentrer dans la chambre même si je l'avais vue souvent comme cela, à chaque fois j'avais peur. Elle était assise dans son lit avec un rouleau de papier-toilette dans les mains. Elle pleurait encore. Je lui ai donné le café et j'ai ramassé les boules de papier qui traînaient à côté du lit. Elle m'a dit de faire du spaghetti aux tomates pour les autres et de leur faire enlever leur linge propre pour ne pas qu'ils se tachent. Je devais bien les surveiller et voir à ce qu'ils partent pour l'école la face et les mains propres. J'ai dit O. K. et je suis sortie.

Ma mère a encore passé une partie de l'après-midi dans sa chambre puis je l'ai entendue se lever et prendre sa douche. Elle a sorti un morceau de bœuf du frigo et a préparé le souper. Elle m'a dit de fermer la télévision et elle s'est fâchée en disant qu'elle n'avait pas besoin de moi et que j'aurais dû aller à l'école. Je n'ai rien dit. J'ai pensé à Brigitte, à la petite Marie, aux miracles, et je suis partie attendre Judith sur le coin de la pelouse.

Ça fait deux semaines que l'école est finie. Je ne peux pas beaucoup sortir parce que ma mère est toujours partie le soir. Elle fait du porte-à-porte dans le quartier pour faire élire un nouveau maire parce que l'autre, celui qui est là depuis vingt ans, est un vrai voleur et c'est le temps que les choses changent. Je n'aime pas qu'elle se mêle de cela, même monsieur Bolduc l'a dit à mon père, il ne laisserait pas madame Bolduc faire de la politique ainsi. Ce n'est pas la place des femmes. Je sais que, lorsque je verrai Martial Turcotte, il va se faire un plaisir de me rapporter ce qu'il a entendu au sujet de ma mère et que je vais avoir honte. Je sais déjà ce qu'il va dire. Ma mère devrait faire son ménage comme du monde et s'occuper de sa famille au lieu de se mêler de politique. Je voudrais lui répliquer que c'est mieux que d'avoir un frère à l'institut mais je ne suis pas capable. Je préfère m'en aller. Judith me suit toujours. Elle n'est pas comme les autres, elle ne me parle jamais de ma mère.

Je passe tous mes après-midi avec elle. On joue un peu au mini-putt, mais même Judith commence à trouver cela ennuyant. On parle beaucoup de Claire parce que le grand jour approche. La préparation du concours commence dans deux semaines. Toutes les finalistes des régions vont se rendre à Montréal pour un mois et pratiquer des chorégraphies. Le groupe va choisir quatre filles qui vont le suivre en tournée au début de l'automne. Je ne peux pas croire qu'on ne verra plus Bruce à la télévision et qu'il ne fera plus de disques. Ça me fait de la peine. Claire est de plus en plus nerveuse et c'est normal. En plus, son fiancé ne passera pas l'été à Chicoutimi comme prévu. Son père l'a obligé à aller passer les vacances à Vancouver pour apprendre l'anglais. Claire est triste mais elle dit que c'est normal parce qu'à cause des médicaments américains un docteur doit absolument savoir l'anglais. Ils sont déçus tous les deux mais Bruno doit penser à sa carrière. Il reviendra autour du 15 août, il fera encore beau et ils pourront aller à la plage Shipshaw avec les autres de La Pilule. De toute façon, elle doit penser au concours et Bruno l'encourage beaucoup. Elle ne doit pas rater sa chance. Ils ont bien le temps pour penser au mariage. Je n'ai rien raconté à ma mère. J'avais trop peur qu'elle explose, mais un soir, juste avant qu'elle parte, elle a explosé quand même. Claire n'était même pas le sujet. J'ai dit que je ne voulais pas passer tous mes soirs à garder, et là, elle s'est mise à crier qu'elle aimait mieux me voir à la maison que de passer mon temps à écouter les niaiseries de Claire Lavallée qui, elle l'avait toujours su, et même quand elle était petite, était une vraie tête de linotte. D'ailleurs, et ça, elle me l'avait bien dit, elle espérait que je me rendais compte que le docteur Blackburn s'était organisé pour que Bruno passe l'été loin de Chicoutimi. J'ai essayé de lui expliquer que cela n'avait rien à voir, qu'il fallait qu'il apprenne l'anglais pour les médicaments. Elle s'est énervée encore plus et elle est sortie de la maison en me disant qu'elle n'avait jamais vu un docteur de Chicoutimi avoir besoin de l'anglais pour prescrire des pilules. Comme toujours, j'ai pleuré. Il fallait vraiment que je fasse plus attention, ces temps-ci ma mère n'arrêtait pas d'exploser.

Judith est venue me voir avec le journal et on a regardé les horaires des parties de balle lente. J'ai dit que je ne pourrais pas sortir le soir avant les élections municipales mais que peut-être on pourrait aller voir Marius au salon de barbier une journée cette semaine. Il fallait que je sois rentrée pour le souper, mais l'après-midi ma mère cousait dans le sous-sol pendant que mes frères et ma sœur étaient au terrain de jeu. Elle ne s'occupait pas de moi. Elle ne saurait jamais que j'étais allée à Saint-Luc. C'était une bonne idée, on irait le lendemain. On est parties tout de suite après le dîner. Il faisait chaud et on a eu soif. On s'est arrêtées pour prendre un coke à l'épicerie Boivin au milieu des deux côtes, et Hervé, le simple d'esprit comme l'appelle ma mère, a dit qu'il voulait nous embrasser. Nous sommes parties en courant. Arrivées en bas de la deuxième côte, nous sommes passées devant le salon de barbier comme si de rien n'était. Marius était là, mais il n'y avait pas de clients et il lisait une revue assis dans sa chaise de coiffeur. Nous sommes repassées trois, quatre fois devant lui, mais on a eu peur qu'il nous remarque et on est reparties. Il a fallu remonter les deux côtes. Devant chez

Boivin, on s'est mises à courir parce que Judith a commencé à dire qu'Hervé était un vrai maniaque et qu'il passait son temps à essayer de prendre les seins des filles. Ses sœurs en avaient souvent parlé. Il fallait faire attention. On a remonté la deuxième côte en marchant lentement. Face à l'église Sainte-Anne, on est allées à la fontaine et on a plongé nos mains dans l'eau du bassin et on s'est arrosé le visage et le cou. Après on a bu de l'eau miraculeuse et j'ai demandé à la bonne sainte Anne d'empêcher ma mère d'exploser et de me permettre d'aller au parc de la Colline le soir du tournoi parce qu'on pourrait voir Marius une partie de la nuit. Je ne pensais pas que Saint-Luc était si loin. C'était la première fois que je marchais si longtemps. J'avais peur d'arriver en retard pour le souper et que ma mère ait commencé à me chercher. Finalement, lorsque je suis arrivée, ma mère était encore en train de coudre. Elle m'a crié d'éplucher les patates et de ne pas faire comme la dernière fois, elle avait dû en jeter une partie parce que j'en avais trop fait. Je suis descendue deux fois pour lui montrer les quantités et elle s'est arrêtée de coudre en disant que je n'apprendrais jamais et qu'on ne la laissait pas travailler en paix. L'argent qu'elle faisait avec la couture allait nous permettre d'entrer à l'école. Ce n'était pas avec le petit salaire de mon père qu'on pouvait arriver. Elle m'a envoyée chercher les autres pour le souper. Au repas, ma mère a placé devant moi deux boulettes de steak haché et des haricots verts en conserve. Je n'avais pas droit à la sauce au céleri et aux tomates, ni aux patates. Depuis le début de l'été, elle s'était mis dans la tête que je devais suivre un régime. Elle n'y pensait pas tout le temps. Ça la prenait parfois. Comme d'habitude, c'est moi qui ai fait la vaisselle et j'ai fini le plat de patates et de sauce avant de les laver. Je ne voulais pas faire ça mais j'avais trop faim. C'était plus fort que moi. J'ai téléphoné à Judith et elle est venue me rejoindre. On s'est assises sur la galerie. On a parlé de Marius un bon bout de temps puis du concours de danse. Claire avait essayé de téléphoner à Vancouver mais elle n'avait pas été capable de parler à Bruno. Lorsqu'elle avait entendu parler anglais, elle avait figé et raccroché. Judith m'a dit qu'elle s'était sauvée dans sa chambre en pleurant. Elle pense que Claire est nerveuse à cause du concours et que c'est normal. La rue était déserte. On n'a même pas vu les gars de l'école Saint-Charles faire les fous en sautant les talus avec leurs bicyclettes Mustang. Judith a commencé à parler de notre entrée à la polyvalente. Elle commençait déjà à trouver l'été long. J'ai dit qu'après les élections on pourrait aller à la balle pour voir Marius et que ce serait moins plate. Et là, je ne sais pas pourquoi, j'ai eu l'idée de la lettre. On pourrait écrire à Marius et s'arranger pour lui donner la lettre à la prochaine partie. Je suis allée chercher la tablette que ma mère utilise pour écrire les lettres aux amis de mon père qui ne savent pas écrire et qui sont toujours mal pris avec l'assurance-chômage. J'ai dit à Judith qu'on pouvait lui écrire une lettre anonyme et qu'il ne saurait jamais qui l'avait écrite. Elle était d'accord. Il restait juste à savoir comment on lui ferait

41

parvenir. Judith a proposé de l'insérer dans ses chaussures. Les joueurs de balle lente laissent leur sac et leurs souliers ordinaires dans la cabane près du terrain. Durant l'été, personne ne reste dans la cabane, il fait trop chaud. C'était une bonne idée. Judith a dit que c'est moi qui allais écrire parce que je suis bonne en composition. Sœur Thérèse en avait lu deux devant la classe. Celle que j'avais faite sur l'automne et celle sur la fête des Mères. Celle-là, j'avais tout inventé. J'avais raconté l'histoire d'un souper au restaurant avec toute la famille chez Georges Steak House. J'avais écrit que c'était le restaurant préféré de ma mère parce que c'est là qu'on mange le meilleur poulet barbecue en ville et la meilleure salade orientale. Je n'y étais jamais allée mais j'avais entendu Claire en parler cent fois. Je connaissais les deux salles, celle avec les banquettes et les juke-box et celle avec les tables et les napperons mexicains en vrai tissu où les vieux et les riches allaient manger. Selon Claire, c'était plein de docteurs et d'avocats, et une fois Bruno l'avait invitée et ils avaient mangé un steak à la sauce au poivre et des patates au four. Elle n'osait pas dire combien cela avait coûté.

Au début, je n'ai pas écrit, je ne savais pas quoi dire. Après, c'est venu tout seul. Je lui ai raconté que nous l'avions vu au parc de la Colline, que nous avions trouvé que c'était un bon joueur et aussi qu'il était le plus beau gars de la ville. J'ai ajouté qu'il était encore plus beau que Pierre Lalonde et que nous n'avions jamais vu ça. J'ai fini en lui souhaitant de gagner le grand tournoi du mois d'août et le trophée du joueur le plus utile à son équipe. Judith a dessiné un cœur transpercé d'une flèche avec des gouttes de sang qui coulent et elle a écrit : « *I love you.* » J'ai plié la feuille et je l'ai mise dans l'enveloppe. On est allées la cacher sous une pierre derrière la statue de la Sainte Vierge. Il y avait une partie de balle le samedi soir et je savais que je pourrais y aller. C'est plus facile d'avoir la permission de sortir quand mon père est là. Je m'arrange pour lui dire que je pars avec Judith une fois que ma mère a le dos tourné et mon père ne répond même pas. Il est toujours en train de s'occuper de mes frères et ne s'intéresse pas aux allées et venues de ma sœur et moi. On peut faire ce qu'on veut.

Claire partait pour Montréal par l'autobus de sept heures. Je l'ai regardée partir, assise en avant de la maison sur le bord de notre pelouse. Judith m'avait dit de ne pas venir. Claire était trop énervée pour avoir les voisins dans les jambes. C'était la première fois que je connaissais quelqu'un qui allait à Montréal et peut-être y vivre pour toujours. Claire est sortie de la maison. Elle portait ses jeans Lois et ses bottes de cuir rose à talons. Elle avait repassé ses cheveux, ils tombaient parfaitement droit sur sa veste de cuir beige. Elle était exactement comme les filles qu'on voyait à la télévision. Elle s'est assise dans la voiture puis est ressortie en disant qu'elle n'avait pas sa valise à cosmétiques. Judith est entrée dans la maison pour aller la chercher. Ensuite, ils sont partis. Il y avait sa mère, son père et Régis, parce que les fois où le père de Judith n'emmène pas Régis avec lui dans la voiture et que Régis en a connaissance, il se fâche et se mord les paumes de la main et se gratte les oreilles jusqu'au sang. On doit lui attacher les mains derrière le dos et lui donner une pilule pour le calmer. Lorsque cela arrive, la mère de Judith hurle tellement qu'on l'entend dans toute la rue et elle boude son mari pendant des jours. Elle s'assoit dans la chaise berçante devant la fenêtre et reste assise là à bougonner. Judith dit que sa mère bougonne, qu'il n'y a rien à faire. Toute la famille fait comme si elle n'existait pas. Il n'y a que les histoires de Claire qui puissent la défâcher. Quand sa mère est comme ça, Judith ne veut pas que j'aille la chercher. Je dois l'attendre assise sur la pelouse à l'avant de la maison. Je suis restée assise sur le talus jusqu'à ce que Judith revienne. Elle est venue s'asseoir avec moi et elle m'a dit qu'elle ne voulait pas pleurer mais que tantôt dans le terminus toute la famille pleurait, même Régis, et que Claire avait dû lui acheter une rondelle Peps. C'est son chocolat préféré. Il appelle cela du chocolat de Noël à cause de l'emballage métallique vert et argent. Judith a dit que Claire téléphonerait en arrivant à l'hôtel que le groupe leur avait réservé. Elle serait là pendant un mois avec les autres finalistes. Judith pourrait me donner des nouvelles le soir même. Pendant qu'on parlait de Montréal, le chien des Bolduc a fait ce qu'il fait toujours. Ce qui, selon mon père, va finir par provoquer un accident, à moins qu'il ne se décide lui-même à lui foncer dessus une bonne fois pour toutes et qu'on en finisse avec Fido Bolduc. S'il ne l'a pas encore fait, c'est qu'il a peur de briser sa voiture. Fido Bolduc a la manie de se coucher en plein milieu de la côte Saint-Jean, juste en face de chez nous, et les voitures qui descendent doivent freiner pour l'éviter. Certains conducteurs se sont retrouvés sur le terrain des Lavallée parce qu'ils avaient donné un coup de volant. Nous, ça nous fait toujours rire parce que Fido Bolduc ne se réveille même pas. Il peut rester là des heures et, à un moment donné, il se lève tranquillement et marche en plein milieu de la rue pour retourner chez lui. Ma mère dit toujours qu'il y a un bon Dieu pour ce chien. C'est un miracle que personne ne l'ait écrasé. Ça fait des années que ça dure et il est toujours en vie.

Nous avons regardé Fido Bolduc s'étirer de tout son long, bâiller et se mettre en boule pour dormir. À part aller à la balle et parler de Marius, nous trouvions le temps long. Plus l'été avançait et plus j'avais peur d'aller à la polyvalente. Même si ma mère disait que, si on faisait ce qu'on avait à faire et si on écoutait les professeurs, on pouvait faire un excellent secondaire et, surtout, j'avais été acceptée dans un groupe rapide qui allait étudier le latin et le grec. Selon elle, même dans les écoles privées, on n'enseignait plus ces matières. Je ferais presque un cours classique. Elle était très contente et avait déjà parlé au responsable de ma classe qui avait l'air d'un homme très sérieux. D'ailleurs, elle l'a toujours su, les études, ça dépend des parents. Elle allait garder les yeux ouverts et j'étais mieux de filer doux. Elle y verrait. J'avais passé l'âge de faire des niaiseries et les professeurs du secondaire n'étaient pas aussi arriérés et incompétents que les sœurs. Je devais le savoir. À partir de maintenant, les études, c'était sérieux. Elle ne voulait pas passer son temps à me le répéter. Moi, je n'étais pas contente. Judith ne serait plus dans ma classe et je ne connaîtrais personne. C'est ma mère qui m'avait obligée à passer un test pour être admise à ce groupe et j'étais la seule de l'école qui l'avait fait. Lorsqu'elle avait eu la lettre, elle n'avait pas perdu de temps pour aller le raconter le soir même à Rose Lemay et cela avait mal tourné. Ma mère était couverte de terre de la tête aux pieds parce qu'elle avait rampé derrière le tas de bois de mon père pour aller voir où en étaient ses champignons et vérifier l'humidité. Cette année, elle s'était mis dans la tête de faire pousser des champignons de Paris. Martial Turcotte, une fois qu'on jouait au drapeau avec les garçons, avait dit que ma mère était folle de faire pousser ça et qu'en plus les champignons ce n'était pas bon et que personne ne mangeait ça sur la rue Mésy. Sa mère avait dit qu'on pouvait même s'empoisonner. J'avais eu honte.

On était vendredi et mon père venait d'arriver. Il était arrivé plus tard parce qu'il y avait eu un feu de forêt et qu'ils avaient eu du mal à l'éteindre. Un peu plus et il aurait passé la fin de semaine dans le bois. Il prenait sa douche parce qu'il était noir de la tête aux pieds. Lui et les autres hommes étaient entrés profondément dans la forêt et s'étaient enduit le corps d'huile à moteur parce que sinon les mouches les auraient dévorés. Moi, j'étais en train de lire une biographie d'Édith Piaf que j'avais trouvée chez madame Leclerc, une nouvelle place où j'allais garder. Le livre était gros, c'était le plus gros livre que j'avais jamais lu. J'étais assise sur les marches de la galerie avant quand j'ai entendu crier derrière la maison. Ma mère se chicanait avec Rose Lemay. Elle était couverte de terre et, comme d'habitude le vendredi, Rose Lemay revenait de chez la coiffeuse et portait un ensemble rose pâle et arrosait les murs blancs de sa maison comme elle le faisait chaque fois que son mari tondait le gazon. Ma mère et Rose Lemay étaient chacune du côté de la haie que mon père et ma mère avaient payée alors qu'ils n'en avaient pas les moyens mais ma mère ne voulait pas perdre la face devant Rose Lemay et avait annoncé que c'était elle qui paierait la haie. Mon père avait rouspété que les Lemay auraient pu payer leur part mais il ne se bat jamais longtemps avec ma mère. Elles criaient toutes les deux et à un moment donné Rose Lemay s'est avancée vers ma mère qui était en train de lire ma lettre d'acceptation au groupe rapide et Rose la lui a arrachée en criant que ma mère inventait une histoire et que cela ne se pouvait pas. Cette polyvalente était un repaire de trafiquants de drogue qui passaient leur temps à faire du vandalisme et elle avait entendu dire qu'il n'y avait que les mauvais professeurs qui acceptaient d'enseigner à la polyvalente. Ma mère a crié que les professeurs des écoles publiques étaient davantage payés que ceux du privé et que, souvent, ceux du privé n'avaient même pas de diplômes. La lettre est tombée par terre et elles ont essayé toutes les deux de la ramasser. C'est là qu'elles ont commencé à se tirailler. J'ai eu peur et je suis entrée dans la maison en criant à mon père que Rose Lemay et ma mère étaient en train de se battre. Il finissait de se raser et ne portait que ses sous-vêtements. Il m'a crié d'aller lui chercher des culottes propres et un petit corps. J'y suis allée et il n'arrêtait pas de dire que Simone courait après les problèmes et qu'il ne comprenait pas pourquoi elle passait son temps à parler avec Rose Lemay si c'était pour finir par se battre. Je ne suis pas sortie, j'avais trop peur et je ne voulais pas voir l'attroupement des autres voisins. Il faisait très beau et tout le monde était dehors. J'ai prié pour que Martial Turcotte ne soit pas dans les parages. Mon père est revenu en tenant ma mère par la main. Ma lettre d'acceptation était toute sale. Je l'ai ramassée. Ma mère pleurait et mon père l'a amenée en bas pour lui faire prendre une douche. Il n'était pas de bonne humeur. Mon père se fâche rarement, mais là, il criait presque. Il disait qu'il interdisait à ma mère de reparler avec Rose Lemay, que c'était aller trop loin, et il se demandait si elle n'était pas en train de devenir folle avec cette histoire d'école. J'avais toujours réussi parmi les premières et il connaissait plein d'hommes de la division forestière qui avaient eu des enfants qui étaient passés par la polyvalente et qui s'étaient rendus à l'université. Le *Progrès-Dimanche* exagérait et d'ailleurs il fallait bien qu'il se trouve quelque chose pour sa première page. En plus, le journaliste était aussi professeur à la polyvalente et il ne se cassait pas la tête pour les nouvelles. Elle était assez vieille pour savoir ça, si elle continuait, elle allait en faire une dépression.

Évidemment, toute la rue a su au sujet de ma mère et de Rose Lemay. Martial Turcotte n'a pas perdu une minute et dès qu'il m'a vue assise sur le coin de la rue au bord de notre pelouse, il a pris sa bicyclette et est venu vers moi pour me demander si ma mère avait un œil au beurre noir. Je fige dès que je le vois s'approcher. Je n'arrive jamais à me défendre même si je pourrais lui crier que sa sœur est tombée enceinte avant de se marier et que son frère est à l'institut et que c'est sûr qu'il va finir en prison. Je ne peux rien dire parce que leur maison est toujours propre et leur salon est pareil à celui du catalogue de Simpsons Sears avec les mêmes rideaux et les mêmes sofas. Leur pelouse est toujours tondue de près et ils ont même des jardinières de fleurs suspendues. Ma mère dit que c'est beau mais que nous n'avons pas les moyens d'acheter ça. Elle fait pousser des marguerites et des pavots autour de ses platebandes de légumes parce que ça éloigne les insectes. Tout le monde la trouve folle de planter des fleurs à l'arrière de la maison. C'est à cause de ma mère que je ne peux rien dire, parce que chez nous la pelouse n'est pas toujours tondue, nous n'avons même pas de salon mais une salle, que ma mère appelle salle familiale, qui est meublée de fauteuils individuels. Il n'y a pas de vrai divan et chaque fois que j'amène quelqu'un chez nous, j'ai honte. Mais je ne le fais pas souvent. Il n'y a que Judith qui vient et elle ne parle pas. Des fois, je me dis que Judith ne me parle jamais de ma mère ni de notre maison parce que, depuis le temps qu'on se connaît, je n'ai jamais ri de Régis et je n'ai jamais parlé de lui aux autres filles de l'école.

Enfin, il y a eu les élections municipales. Le candidat de ma mère a gagné à sa grande surprise. D'habitude, elle perd ses élections. Elle est allée au party et elle est rentrée très tard. Elle avait un peu bu. Je ne l'avais jamais vue comme ça. Elle était presque joyeuse, sans colère. Ça me faisait drôle parce que ma mère est toujours en colère. Même quand elle ne crie pas, même lorsqu'elle regarde la télévision, même en cousant, elle est en colère. On le sent juste à la manière dont elle pèse sur la pédale. Ses coups sont brusques. Et là, elle me parlait doucement et me racontait comment les gens avaient trouvé sa robe belle et qu'elle était tellement bien arrangée que certains ne l'avaient même pas reconnue. Elle est allée dans la salle de bains pour prendre son médicament pour la digestion. Je lui ai fait couler l'eau chaude et c'est moi qui lui ai servi son verre. Elle avait peur de mal digérer parce qu'elle avait mangé des sandwichs aux œufs pleins de mayonnaise et qu'elle a de la difficulté avec la mayonnaise. On est restées là sans parler pendant qu'elle buvait son remède. C'est cette nuit-là que Lisette est venue. On venait juste de se coucher quand elle a cogné à la porte.

C'est moi qui ai ouvert. J'avais peur parce que je pensais que c'était un des frères de ma mère qui arrivait saoul et qu'il faudrait le coucher de force dans le lit d'un de mes frères et qu'il se mettrait sûrement à crier, et ça, ça finissait toujours mal. Ma mère pouvait rester dans son lit à pleurer pendant des jours. Quand j'ai vu Lisette, ça m'a soulagée. Lisette est la seule vraie amie de ma mère, mais la plupart du temps elles ne se parlent qu'au téléphone même si elle habite à une dizaine de minutes de marche. Lisette ne sort jamais. Elle passe sa vie dans un boudoir que son mari a arrangé pour elle. Elle y a sa télévision, ses revues qu'elle reçoit par la poste et qu'elle appelle ses abonnements. Elle fume toute la journée des cigarettes Matinée *king size*. Le cendrier près d'elle est toujours plein. Ma mère affirme que Lisette est la femme la plus intelligente du quartier et la plus instruite. Elle connaît tout sur la politique, la littérature, elle lit des livres que même ma mère a du mal à comprendre et elle connaît la France par cœur même si elle n'y est jamais allée. Je lui ai ouvert la porte et j'ai tout de suite été mal à l'aise à cause de son odeur. Après, j'ai vu qu'elle était nu-pieds et qu'elle ne portait qu'une espèce de jupon comme celui de madame Bolduc. Dès qu'elle est entrée, elle a sauté au cou de ma mère et lui a dit comment elle était contente de la voir. Elle a dit qu'elle aussi avait gagné ses élections et qu'elle était heureuse. Ma mère l'a emmenée dans la cuisine et l'a fait asseoir. Je ne savais pas quoi faire et je n'arrivais pas à me détacher de son odeur. Ma mère m'a dit de faire du café et elle est allée au sous-sol et est revenue avec ma robe de chambre rose que j'avais achetée avec mon argent de poche. Je n'étais pas contente, je ne voulais pas que l'odeur de Lisette imprègne le tissu. Mais j'ai rien dit. Comme d'habitude, j'ai figé. Lisette a commencé à parler de politique, du Québec et des gens qui n'étaient pas instruits et ignorants. À ses yeux, il n'y avait qu'un seul homme instruit dans tout Chicoutimi et c'était le député du comté. Cet homme avait un français impeccable, il avait fait des études en Europe et il faisait beaucoup pour la culture. Elle a continué en disant qu'elle l'aimait vraiment et que c'était certain qu'elle et lui étaient faits l'un pour l'autre. C'est là que je me suis rendu compte qu'elle déraillait. Je savais de qui elle parlait parce que le député passait régulièrement à la télévision et tout le monde que je connaissais riait de lui. C'était un homme frêle qui parlait à la française et qui portait des complets-veston et avait toujours un œillet blanc à la boutonnière. À l'école Saint-Charles, les garçons l'imitaient entre eux et se traitaient de tapettes. Ma mère m'a dit d'aller dans le sous-sol et de téléphoner au mari de Lisette. Le numéro était sur la feuille collée au-dessus du téléphone. J'ai téléphoné et une voix d'homme paniquée m'a dit qu'il arrivait tout de suite. Il venait de se rendre compte que Lisette n'était pas dans sa chambre. Lorsqu'il est arrivé, Lisette s'est mise à trembler et à pleurer en lui demandant pardon et a promis de ne plus se sauver. Il a dit à ma mère qu'elle était encore repartie sur une dépression et que, cette fois-ci, elle n'y échapperait peut-être pas. La dernière fois, le médecin avait dit qu'il n'y avait plus rien d'autre à faire.

Je ne savais pas de quoi il parlait. Il a appelé l'ambulance et Lisette se lamentait comme un petit chien. Quand elle a vu les hommes entrer avec la civière, elle s'est arrêtée de gémir et s'est laissé faire comme si c'était cela qu'elle attendait. Ils l'ont couchée avec ma robe de chambre. Son mari a laissé sa voiture devant chez nous et a dit qu'il viendrait la chercher le lendemain. Après, je suis restée assise toute la nuit dans la salle familiale avec ma mère. Elle pleurait en marmonnant tout bas. Deux ou trois fois, elle a dit d'aller me coucher mais j'ai refusé. J'ai fini par m'endormir dans la chaise. Le mari de Lisette est revenu le lendemain vers midi. Il avait ma robe de chambre rose dans les mains. Je l'ai prise et je suis allée la laver tout de suite même si ma mère n'aime pas qu'on parte la laveuse pour un seul morceau de linge. J'ai attendu debout près de la machine jusqu'à ce que le cycle de lavage soit fini. J'ai étendu ma robe de chambre sur une corde derrière la fournaise. J'ai senti le tissu deux fois pour être certaine que l'odeur avait disparu. Quand je suis remontée, le mari de Lisette discutait encore avec ma mère près de la portière de sa voiture. Ma mère avait la tête baissée, je ne savais pas ce qu'il était en train de lui dire mais j'avais du mal à reconnaître l'attitude de ma mère. D'habitude, elle parle fort et fait de grands gestes. Là, elle regardait ses pieds et j'ai vu qu'elle faisait des petits tas de sable qu'elle aplatissait ensuite. Ils ont parlé longtemps et, quand il est reparti, ma mère a mis sa main sur son bras. Ça m'a surprise, elle ne touche jamais personne, même pas mon père et, lorsqu'il l'embrasse dans le cou, elle lui dit toujours d'arrêter. Elle est revenue à pas lents vers la maison et je me suis dépêchée de sortir pour aller chercher Judith. Je ne sais pas pourquoi, mais j'étais certaine que ma mère n'allait pas tarder à exploser.

Judith était en train de laver la tête de Régis et je suis entrée pour l'aider. À chaque fois, c'était une catastrophe. Il hurlait, il ne voulait pas que l'eau touche ses oreilles. Je me suis placée à côté de Judith et j'ai mis mes deux mains sur les oreilles de Régis. Je lui ai promis que j'allais serrer de toutes mes forces. La mère de Judith était assise dans sa berceuse et répétait que cela n'avait pas de sens, qu'il faudrait le placer, qu'elle n'avait plus la force de garder un handicapé de vingt-cinq ans dans la maison. Elle était épuisée, et si ça continuait, elle allait en mourir. Ce n'était pas la première fois que je l'entendais se plaindre ainsi. J'ai pensé à Brigitte qui, elle, remerciait Dieu de lui avoir donné la petite Marie qui était restée sans marcher pendant dix ans. Brigitte disait que les handicapés servaient à nous sanctifier. Je savais que ça voulait dire que cela aidait à devenir saint. Les sœurs en parlaient souvent. Régis a fini par se calmer et la mère de Judith a pris une cigarette dans sa boîte et s'est allumée. Elle s'est calée dans sa chaise et a dit à Judith de mettre la serviette sur la corde. Nous avons peigné Régis en lui donnant le miroir à maquillage de Claire et en lui répétant comment il était beau avec les cheveux propres. Madame Lavallée a crié de faire attention au miroir parce que si on le cassait, Claire allait nous tuer.

Après, on est descendues dans le boudoir de Claire. On pouvait y aller tant qu'on voulait parce qu'on ne risquait plus de se faire prendre. Judith a mis Aznavour et je lui ai raconté l'histoire de Lisette. J'ai vu que cela ne l'intéressait pas, elle avait hâte de me raconter le dernier téléphone de Claire. Claire était un peu déçue. Elle n'avait pas encore vu Bruce et ne savait pas quand il allait venir les voir. Elle était avec une dizaine de filles et ils allaient en garder quatre. Elles n'habitaient pas vraiment dans un hôtel mais dans un motel. Le soir, elles ne pouvaient pas sortir en ville parce que c'était trop loin. Claire n'aimait pas Montréal. Elle a dit que rien n'était comme à la télévision. On ne pouvait même pas commander au restaurant de la même manière. Tout était en anglais et la danseuse professionnelle qui les entraînait ne savait pas dire deux mots en français. Elle s'ennuyait de Chicoutimi et elle avait hâte à la finale pour voir ce qui allait se passer. Elle n'avait pas de nouvelles de Bruno et avait même téléphoné chez ses parents pour leur donner le numéro de téléphone du motel. Il ne l'avait pas appelée et Judith m'a dit qu'elle avait pleuré au téléphone et que sa mère l'avait consolée en lui disant qu'elle n'en avait que pour trois semaines encore.

Elle appelait tous les soirs à frais virés et son père et sa mère s'étaient chicanés parce que, selon le père de Judith, si ça continuait, elle allait les mettre sur la paille.

J'étais déçue. Je pensais que Judith allait me parler

de Bruce, que Claire lui avait raconté comment il était en personne mais je savais que ça finirait par arriver, il fallait juste attendre. J'ai dit à Judith que l'été était plate et qu'heureusement qu'il y avait la balle le vendredi soir. On est allées chercher notre lettre à côté de la Sainte Vierge mais le papier était tout sale. On l'a recommencée sur le papier à lettres bleu avec des oiseaux que Claire avait acheté pour écrire. Je l'ai recopiée et j'ai changé la fin. J'ai ajouté « je t'aime » au lieu de « *I love you* » au bas de la lettre. On l'a mise dans une enveloppe bleue elle aussi, et Judith est allée la cacher dans sa chambre. La partie de balle était vendredi et j'ai dit à Judith que même si j'avais un appel pour aller garder j'allais m'arranger pour dire que j'étais déjà prise. Il fallait juste répondre au téléphone avant ma mère, mais j'avais l'habitude, avec ma mère, je mentais tout le temps.

Lorsque je suis rentrée pour dîner, elle parlait au téléphone avec quelqu'un de la compagnie forestière. Elle répétait qu'il fallait que mon père l'appelle sur le radio émetteur ce soir. Elle a raccroché et j'ai vu qu'elle avait pleuré. Elle serrait une boule de kleenex dans sa main. Elle a explosé et, comme d'habitude, j'ai figé.

— T'étais encore en train d'écouter les niaiseries de Claire Lavallée ?

— Non, j'ai aidé Judith à laver la tête de Régis. D'ailleurs, Claire est partie à Montréal.

— Tu le sais, je t'ai demandé de faire les lits pendant l'été et tout traîne encore.

— Je vais y aller tout de suite.

Je me suis sauvée dans le sous-sol, contente d'avoir échappé au discours de ma mère sur les Lavallée. Selon elle, toutes les sœurs de Judith s'étaient mariées avec des bons à rien et elles passeraient leur vie à tirer le diable par la queue. Elle ne pouvait pas croire qu'on puisse être si ignorantes. J'étais mieux de ne pas m'amouracher du premier venu parce qu'elle allait y voir. Elle ne voulait pas entendre parler des garçons avant que j'aie fini l'université.

Je suis entrée dans ma chambre et j'ai pris un *Brigitte*. J'ai lu au hasard. Brigitte recevait la femme de son frère à dîner qui était très riche et très malheureuse. Elle n'arrivait pas à avoir d'enfants et elle aurait donné tout ce qu'elle avait pour être comme Brigitte, une mère de quatre enfants. Brigitte vivait simplement, certes, mais elle avait un grand bonheur. C'était mieux que des robes de couturiers et des repas dans les grands restaurants. Après son départ, Brigitte réalisait sa grande chance et s'en voulait d'avoir tant admiré le nouveau manteau que sa belle-sœur portait. J'ai continué de lire jusqu'à temps que j'entende mes frères et ma sœur rentrer. J'ai fait les lits en vitesse et j'ai tout mis le linge qui traînait à laver. Je savais que ma mère allait encore dire que nous mettions du linge encore propre au lavage mais je n'avais pas le temps de tout trier.

Il faisait chaud et Judith et moi avons passé le reste de l'après-midi à nous asperger avec le boyau d'arrosage en arrière de leur maison. Ma mère, comme d'habitude ces temps-ci, cousait au sous-sol et à part qu'elle mettait du fil et du tissu partout, lorsqu'elle avait une rage de couture, elle me laissait tranquille. Je me suis demandé tout l'après-midi ce qu'elle voulait dire à mon père. Ça devait être grave parce qu'il fallait une raison de force majeure pour demander à un ouvrier de la compagnie de nous appeler sur le radio émetteur. Je l'avais déjà lu dans les lettres que mon père recevait avec son chèque de paye.

Au souper, elle avait fait du macaroni au fromage et des patates au four. J'ai mangé autant de patates que je voulais, elle ne se souvenait plus de mon régime. J'ai fait la vaisselle et j'ai ramassé tous les fils qui traînaient dans la maison. Ma mère est sortie pour aller voir madame Bolduc et lui apporter la blouse qu'elle lui fabriquait. Lorsqu'elle est revenue, elle avait un sac rempli de tissus et de patrons. J'ai regardé dedans et j'ai vu que c'étaient des patrons de robes de maternité. J'étais certaine que madame Bolduc n'était pas enceinte. Elle l'aurait dit depuis longtemps et, à mon avis, elle était trop vieille. Ma mère m'a surprise en train d'examiner les patrons et elle m'a dit de ne pas le répéter mais la sœur de madame Bolduc était enceinte. D'ailleurs, elle l'avait bien dit quand elle était partie à Vancouver avec ce Stéphane. Je me souvenais parfaitement, je me souviens tout le temps des explosions de ma mère. J'étais arrivée emballée à l'idée que Marthe, la sœur de madame Bolduc, partait pour un mois dans l'Ouest avec son chum. Ma mère m'avait rabrouée en me disant de me calmer et que celle-là, c'était sûr qu'elle allait revenir enceinte. D'ailleurs, ce Stéphane était un autre bon à rien qui n'avait même pas fini son secondaire.

Je suis restée à lire dans la maison parce que je ne voulais pas manquer le téléphone de mon père. Vers dix heures, cela a sonné et ma mère s'est précipitée au sous-sol pour répondre. J'ai attendu et j'ai décroché aussi, le plus délicatement que j'ai pu en mettant une serviette sur l'acoustique. J'avais l'habitude, j'écoutais souvent les conversations de ma mère lorsqu'elle était au téléphone du sous-sol. Ma mère avait une drôle de voix, ce n'était pas la voix qu'elle avait avec nous, elle avait déjà commencé à pleurer et mon père lui disait que cela allait s'arranger. Elle savait depuis toujours pour Lisette. Ma mère répétait que c'était injuste et le pire c'est qu'elle allait souffrir le martyre. Le mari de Lisette avait parlé de cinq séances au moins. Après, ils verraient. Comme d'habitude, mon père a raconté une histoire d'un gars de la division forestière :

— Simone, la femme de Marcel en a eu, et tu sais comme moi qu'elle va mieux depuis ce temps-là et qu'elle n'a plus fait de dépression. Ce n'est plus comme avant, comme dans le temps de ton grand-père. Les choses ont changé.

Ma mère pleurait toujours, elle a dit qu'elle passait son temps à penser à cela, qu'il ne pouvait pas savoir. Lisette était comme sa sœur, elles avaient été au couvent ensemble. Elle l'imaginait toute seule à Québec dans une chambre à l'asile. Elle avait vu son grand-père une fois à l'asile lorsqu'elle était petite et il avait les yeux si cernés et si creux que, dans la pénombre de la chambre, elle avait cru qu'on les lui avait arrachés. Dans le couloir, elle racontait avoir vu un homme avec une tête de cheval. Elle s'était évanouie. Je connaissais cette histoire, ma mère la racontait souvent. Ensuite, elle a encore eu cette voix et ça m'a gênée. Elle a dit à mon père qu'elle n'en pouvait plus qu'il ne soit jamais là, que c'était trop dur. Mon père a dit que quelqu'un attendait pour le radio, il devait raccrocher et il a ajouté : je vais essayer d'arriver jeudi. J'ai attendu que ma mère raccroche et j'ai couru m'asseoir. Je faisais semblant de regarder les nouvelles. Ma mère m'a dit qu'il était tard et que je devais aller me coucher. Elle ne se bat jamais longtemps avec moi sur ce sujet. Elle laisse tomber en disant que, de toute façon, elle n'est jamais arrivée à me faire dormir et que je n'avais jamais été normale. Je tenais de ma grand-mère paternelle qui, selon mon père, n'avait jamais dormi de sa vie. Nous avons regardé une reprise de *Femme d'aujourd'hui* ensemble. C'était une de ses émissions préférées. Elle écoutait aussi *Place aux femmes* à la radio. Elle se chicanait souvent avec monsieur Bolduc là-dessus. Il disait que Lise Payette, l'animatrice, se mêlait de ce qui ne la regardait pas et que c'était une exaltée. Ma mère rentrait dans la maison en disant que le bonhomme Bolduc était un arriéré et que ce n'était pas étonnant que madame Bolduc passait sa vie saoule. Avec un mari de même, elle aussi se mettrait à la petite O'Keefe. C'était la marque de bière du bonhomme Bolduc. Mon père répondait tout le temps :

— Voyons, Simone, là tu vas trop loin.

Pat Soucy se promène de long en large dans notre cuisine avec son nouvel habit. Il porte même une cravate. Pat Soucy habite au bout de notre rue. Sa mère ne sort jamais. On l'aperçoit parfois par la fenêtre. Elle est plus vieille que les mères de notre quartier et son père est vieux aussi. Je n'ai jamais entendu leurs voix même si je passe là tous les jours pour aller à l'école. Ils n'ont jamais de visite parce que, selon Pat, toute leur parenté est à Saint-Boniface et au Nouveau-Brunswick. Deux ou trois fois, l'ambulance et la police sont allées chez eux en pleine nuit et je sais que son père bat sa mère lorsqu'il est trop saoul. Toute la rue le sait mais personne n'en parle. Son père est allé dans la police montée et a voyagé partout dans le Canada. Pat Soucy est leur seul fils et il ne vient que chez nous. Il a commencé à venir parce que ma mère lui donnait des cours de rattrapage en français, matière dans laquelle il avait de la difficulté. Petit, il ne vivait qu'en anglais dans des villages d'Indiens. C'est ce qu'il raconte mais personne ne le croit. Il passe de longues heures à parler de son travail à la salle de quilles et à quel point il est important. Ma mère l'écoute en continuant sa couture même si elle sait que tout ce qu'il raconte est faux. Pat Soucy est le plus grand menteur du quartier. Ma mère affirme que Pat Soucy fait plus pitié qu'on pense.

Pat Soucy étrenne un nouvel habit parce qu'il vient de décrocher un travail de commis-comptable au Garage Buick. Il a fini son cours commercial comme ma mère lui a conseillé et il est tout heureux de venir lui annoncer la nouvelle, et ce n'est pas tout, il va se marier l'été prochain. On est tous invités, toute notre famille. Il n'invitera personne d'autre dans le quartier, on peut en être sûrs. Pour une fois, ce qu'il raconte a l'air vrai. Même ma mère l'écoute avec attention. Elle lui dit que dix-neuf ans, c'est trop jeune pour se marier. Il répond que non et que de toute façon lui et sa blonde Nathalie sont prêts. Sa blonde vient d'un village où, selon ma mère, toutes les filles sont enceintes avant leur mariage. Une fois Pat Soucy parti, ma mère a encore explosé, mais cette fois contre Nathalie. Une tête de linotte, s'embarquer dans la vie avec Pat Soucy à dix-sept ans. Encore une autre qui allait se marier enceinte. Je n'ai pas écouté le reste, je le savais par cœur. Je suis allée dans la cuisine et je me suis mise à faire des biscuits soda à la chaîne remplis de beurre de peanuts. J'ai pensé très fort à Marius, à la partie de vendredi soir, au tournoi de balle nocturne qui arrivait, à la fête de la bonne sainte Anne, à la visite chez les cousines de ma mère pour acheter les tissus pour notre rentrée scolaire. J'ai pensé à Claire, à Bruce, l'été ne serait pas trop plate. À un moment donné, j'ai sursauté, ma mère s'est mise à crier :

— Arrête, tu vas devenir grosse comme la fille de Lucienne.

Elle me regardait manger mes biscuits. J'ai sursauté. Je ne l'avais pas entendue approcher de la cuisine. D'habitude je mange en cachette. J'étais certaine qu'elle était descendue coudre. Là, elle était hors d'elle. Elle a claqué les portes d'armoires en rangeant les biscuits et m'a poussée en dehors de la cuisine. Je suis partie dans ma chambre. Je ne suis pas arrivée à lire, je pleurais trop. J'ai pris mon calepin noir et j'ai recommencé à écrire ma diète. Matin : toast et fromage cottage.

Midi : jus de tomate, œuf dur, salade.

Soir : poisson congelé au four et patates : deux moyennes bouillies.

Je faisais ça souvent, mais le lendemain ça marchait pour le déjeuner, mais pour le midi, c'était trop dur. Lorsque j'ai entendu ma mère recommencer à coudre, je suis sortie chercher Judith. Elle était partie chez le dermatologue Poirier avec sa mère et elle devait être revenue. Il lui prescrit des crèmes pour ses boutons. Ma mère dit que Judith est pleine de boutons parce qu'elle ne mange que des frites et des hot-dogs avec du coke. Le docteur Poirier pense que les boutons de Judith sont génétiques. Je ne l'ai pas répété. Ma mère n'a aucune confiance dans les médecins, elle dit qu'ils ne sont vraiment bons qu'à réparer des jambes cassées. Quand quelqu'un est malade, vraiment malade, ils ne peuvent rien faire.

Judith est sortie dès qu'elle m'a vue sur le coin de la pelouse. Le docteur lui avait donné deux nouvelles crèmes. Avec ces deux médicaments, il était certain que cela allait disparaître. Les premiers onguents qu'il lui avait donnés n'avaient fait qu'empirer les choses : elle avait fait une allergie. En plus de ses boutons, la peau de la face lui avait pelé. Elle n'était pas venue à l'école pendant une semaine. Claire avait téléphoné la veille et elle avait encore pleuré. C'était difficile parce que la fille d'Alma, la seule de la région avec elle, passait son temps avec une autre fille de Trois-Rivières et Claire restait toujours seule. En plus, Bruce n'était pas encore venu et la prof de danse les faisait suer à longueur de journée. Claire leur avait dit qu'il faisait tellement chaud à Montréal qu'on ne pouvait pas dormir la nuit. Ce n'est pas elle qui déménagerait là, c'est sûr, et en plus, il n'y a pas de plage comme à Shipshaw où tu peux aller te baigner en décapotable avec tes amis. Mais Claire croyait qu'elle avait des chances de rester dans le groupe des quatre danseuses parce que l'Anglaise lui avait répété plusieurs fois qu'elle avait du style. Selon Judith, Claire commençait à être bonne en anglais. Je lui ai parlé de Pat Soucy et de son prochain mariage. Judith n'en revenait pas : une fille en amour avec Pat Soucy.

On était mercredi, la partie de balle était vendredi. Je n'avais pas encore eu de téléphone pour aller garder et je me tenais dans la maison un bout de temps après le souper au cas où. C'est toujours à cette heure-là que j'avais des appels.

Là, j'ai vu ma mère marcher au coin de la rue avec un sac de couture à la main. J'étais certaine qu'elle allait porter du linge chez Lucienne. J'ai dit à Judith que je voulais voir la jambe coupée de la mère de Lucienne et j'ai suivi ma mère d'assez loin pour qu'elle ne me voie pas. Lucienne habite sur la rue Sainte-Adèle à une vingtaine de minutes de chez nous. Ma mère déteste que je la suive comme ça et je sais qu'elle va me regarder avec de gros yeux mais elle ne dira rien devant les autres. La maison de Lucienne est toujours en ordre et Lucienne travaille constamment sur son comptoir à faire à manger. Tous ses enfants sont gros mais la plus grosse, c'est Joëlle, sa fille. Elle a mon âge et rentre elle aussi au secondaire l'année prochaine. Elle est tellement grosse qu'elle ne vient jamais jouer à la récréation. Elle reste dans la grande salle à regarder les images des sœurs. Lucienne dit qu'elle est malade, elle a les « glandes ». Les sœurs nous l'ont répété et on n'avait pas le droit de se moquer d'elle, sinon Dieu allait nous punir en nous donnant une maladie grave. Ma mère apporte un ensemble qu'elle a fait pour elle et je suppose que c'est pour cela qu'elle m'a piqué une crise. Lucienne est le contraire de ma mère. Elle parle doucement sans jamais hausser le ton et répète sans arrêt le nom de son mari en disant à quel point il travaille fort. Ce n'est pas l'opinion de ma mère qui s'indigne à chaque fois qu'elle sort de chez Lucienne. Elle n'a jamais compris ce que Lucienne lui trouvait, parce que, selon tout le monde, Albert n'a jamais levé une paille de sa vie et n'a pas inventé l'ouvrage. Lucienne a fait l'école normale avec ma mère et Lisette mais juste une année, elle a abandonné son cours pour se marier. Ma mère n'a pas une très haute opinion d'elle, mais Lucienne sait tout ce qui se passe à Chicoutimi-Nord parce que son frère est employé municipal à l'hôtel de ville et rapporte tout à sa sœur. Ma mère se rend régulièrement chez Lucienne sous différents prétextes pour connaître les nouvelles et je la suis presque toujours. Lucienne est toujours contente de me voir et me fait asseoir près de Joëlle juste devant le plat de jujubes et de chocolats à pitons. On peut en prendre tant qu'on veut. Je ne me rappelle pas avoir vu les plats vides. Je n'aime pas les jujubes mais j'adore les chocolats à pitons. Ce sont les mêmes que chez ma grand-mère. Ma mère, elle, n'en achète jamais. Lucienne est toujours ravie parce que Joëlle peut enfin jouer avec quelqu'un. Elle a une quantité phénoménale de poupées en carton avec plein de vêtements de toutes sortes qu'on peut mettre sur les poupées, elle a même des livres qu'elle n'a pas ouverts. Moi, je trouve que c'est bébé pour une fille de onze ans mais Joëlle est comme ça. Elle a aussi une collection de la Bibliothèque verte mais il y a longtemps que je ne les lis plus. C'est toujours la même histoire. Elle, elle préfère *La Bande des cinq*. Elle a des disques des Miladys mais, ça aussi, je trouve ça bébé. Avec elle, je parle de l'école et des histoires de *La Bande des cinq* que j'ai lues il y a longtemps.

J'attends un peu que ma mère entre et je cogne à la porte. Lucienne me fait entrer en souriant. Je dis que je viens jouer avec Joëlle. Elle est dans sa chambre en train d'essayer son nouveau linge. Lorsqu'elle sort, Lucienne s'extasie sur le travail de ma mère. L'ensemble de Joëlle est bleu marine avec une légère ligne blanche à l'intérieur. Ma mère va lui faire des surblouses blanches et bleues pour aller avec les pantalons. Trois autres morceaux et Joëlle va être habillée pour l'année. Pendant que Joëlle tourne sur elle-même pour que ma mère vérifie les ajustements, je me dis que je vais suivre le régime que j'ai écrit dans mon carnet noir. Je ne veux pas aller à la polyvalente habillée comme ça. J'entends ma mère dire à Lucienne qu'elle va sûrement me faire un ensemble comme celui-là. C'est presque un uniforme et c'est moins de trouble. Je ne suis pas inquiète parce que, lorsqu'elle va chercher du tissu, ma mère nous emmène ma sœur et moi pour choisir des patrons. Gabrielle, sa cousine qui tient la boutique et qui est la femme la plus douce que j'ai rencontrée, nous propose du tissu à la mode et sort les patrons Butterick qui viennent d'arriver. C'est elle qui convainc ma mère de me faire tel ou tel modèle. Ma mère suit ses conseils parce qu'elle aime Gabrielle. Je ne sais pas comment elle fait, mais ma mère ne parle jamais fort avec elle. On dirait qu'elle la calme avec sa voix. Quand Gabrielle prononce le nom de ma mère, même moi ça me fait quelque chose. Je ne peux pas l'expliquer. Je ne la vois que deux fois par année et elle est toujours habillée de la même façon. Elle porte une jupe à plis qui lui va sous les genoux et un chemisier assorti qui se ferme en une boucle sur sa poitrine. Ma mère touche le tissu avec ses deux mains. Les tissus des vêtements de Gabrielle sont rares et précieux. Elle les commande de Paris où elle est allée une fois avec sa sœur religieuse en se rendant à Rome. C'est drôle, tout d'un coup je pense que Gabrielle est une sorte de Brigitte célibataire. À la bonne sainte Anne, elle passe la journée chez ma grand-mère maternelle à servir des sandwichs et à faire du café. Elle arrive à cinq heures du matin, va à la messe de six heures, qui selon elle est la meilleure de la journée parce qu'il fait encore frais dans l'église et que les fleurs sont à leur plus beau. Après, elle rentre déjeuner avec ma grand-mère qui est sa marraine et reste jusqu'à neuf heures du soir, l'heure où nous allons à la procession. C'est grâce à Gabrielle que je peux aller à la procession du soir, parce qu'après elle vient me reconduire chez nous. Ma mère est déjà rentrée depuis longtemps pour s'occuper de mes frères qui ont été infernaux toute la journée et qu'elle a dû surveiller pour qu'ils ne déchirent pas leur linge propre.

Joëlle m'invite dans sa chambre pour jouer mais j'aime mieux rester dans la cuisine pour écouter la conversation en faisant semblant de rien. Je lui dis que je préfère jouer aux poupées qui sont sur leur table et nous changeons de pièce. Lucienne nous met un plat de chips devant nous et ma mère me regarde de travers. Depuis la dernière fois, la grand-mère de Joëlle est allée à l'hôpital et, si le traitement actuel ne réussit pas, ils vont devoir lui amputer une autre partie de la jambe. Lucienne soulève les draps blancs qui couvrent la jambe amputée et, de ma place, j'arrive à voir la peau bleutée et rouge du genou amputé. Lucienne raconte que le pire est passé mais qu'elle s'était rendu compte que quelque chose clochait parce que les linges qui entouraient le genou de sa mère commençaient à sentir l'eau corrompue. Ma mère caresse le front de la vieille. Puis la conversation glisse sur Lisette qui est toujours à Saint-Michel-Archange et dont Lucienne n'a pas eu de nouvelles depuis quelques jours. Il semble que le traitement va faire effet. Lucienne dit que ce n'est pas étonnant, avec ce qui est arrivé, que Lisette soit ainsi. Elle n'en dit pas plus et je suis certaine que c'est parce que Joëlle et moi sommes à la table. En tout cas, ma mère sait de quoi il s'agit. Je me dis que je vais la questionner en rentrant à la maison. Nous sommes restées longtemps et Lucienne nous a resservi des chips et de l'Orange Crush.

Nous sommes parties et ma mère a eu une petite explosion, elle n'en pouvait plus que je la suive partout. En plus, j'avais laissé la maison seule et mes frères et ma sœur auraient pu revenir. J'ai dit qu'ils étaient au terrain de jeu jusqu'à midi. Moi, cette année, je n'avais pas pu m'inscrire parce que j'avais eu douze ans et qu'il ne prenait que les onze ans et moins. J'ai demandé ce qui était arrivé chez Lisette. Ça m'a surprise parce que je n'ai pas eu besoin d'insister ni de la tanner longtemps avant qu'elle me réponde. Elle m'a dit que son père s'était pendu dans la grange et que Lisette l'avait trouvé. Elle était encore petite, dans ce temps-là. Ma mère ne la connaissait pas.

Mon père est en train de raconter sa semaine à ma mère. D'habitude, j'aime bien l'écouter raconter ses histoires même si ma mère n'apprécie pas que je traîne à table avant de faire la vaisselle. On dirait qu'elle veut garder mon père et ses histoires pour elle toute seule. Mais, là, je me dépêche parce que Judith va venir me chercher pour aller à la balle et je suis mieux de me faire oublier. C'est ce soir qu'on va donner notre lettre à Marius. Je suis nerveuse. Il ne faut surtout pas qu'il sache qui a écrit les lettres, je mourrais de honte. Judith arrive et vient finir de m'aider à essuyer la vaisselle. Je vais dans ma chambre prendre mon chandail et nous sortons par en avant. Je dis à Judith qu'il faut que je sois rentrée pour neuf heures mais, lorsque mon père est là, ma mère arrête de me surveiller pas à pas. Il y a déjà beaucoup de monde au parc de la Colline. Les gars de l'école Saint-Charles ont commencé à boire de la bière dans des bouteilles de 7-Up pour ne pas que ça paraisse mais Judith et moi, on les a vus souvent les remplir de bière en arrière de l'Accommodation Bouchard. Le bonhomme Bouchard sait très bien qu'ils font ça mais, comme dit ma mère, tout ce qui compte pour lui, c'est de s'emplir les poches. Elle répète toujours : tant qu'il n'y aura pas d'accidents graves, cela va continuer. Elle n'achète rien à l'Accommodation Bouchard parce qu'ils vendent cher et qu'ils fournissent les jeunes du quartier en bière.

Il y a aussi les femmes des joueurs qui parlent entre elles toute la soirée et qui regardent à peine la partie. Elles s'arrêtent juste lorsqu'un joueur frappe un circuit et que les autres équipiers crient à tue-tête sur le terrain.

Judith et moi, on guette la cabane pour voir où Marius va laisser son sac et ses espadrilles pour aller porter la lettre. Judith a bien vu l'endroit, elle en est certaine. Nous attendons que la partie soit bien commencée et nous faisons semblant d'aller à la toilette dans la cabane. Judith va porter la lettre dans le soulier de Marius. Elle la pousse dans le bout, il va la sentir lorsqu'il va mettre sa chaussure. Mon cœur bat très fort. Je respire vite et là, j'ai vraiment envie d'aller à la toilette même si les toilettes de la cabane sont sales et pleines d'urine à côté du bol. Nous sortons et je ne regarde personne, on s'assoit dans un gradin vide et on scrute le terrain pour apercevoir Marius. Il est au premier but. Il fait des signaux à son lanceur et rit des blagues des autres joueurs. On attend que la partie soit finie et on part en vitesse. On a trop peur qu'il sache que c'est nous qui avons écrit la lettre. Il passe devant nous avec les autres. Je demande l'heure à un autre joueur et nous marchons vite vers la sortie du parc.

Sur le chemin, Judith et moi sommes silencieuses. On n'en revient pas de ce qu'on a fait, mais je n'ai qu'une idée en tête, lui écrire de nouveau. On va le faire demain, parce que là, il est trop tard et ma mère va crier si je ressors.

Lorsque je suis arrivée, la maison était vide. Ils étaient tous partis, probablement chez le frère de ma mère. Ils sont allés voir Pinote, notre chienne. Avant, Pinote passait seulement l'hiver à la ferme et nous allions la chercher à la fin juin pour passer l'été au bord du lac. Maintenant, on va la voir de temps en temps. Elle saute sur les portes de notre voiture comme si nous l'avions laissée la veille parce que les chiens ont une mémoire de cinq minutes. Au début, on avait essayé de la garder en ville mais elle se sauvait sans arrêt de la maison pour venir nous attendre devant la porte de l'école. On ne pouvait pas l'attacher parce qu'elle pleurait toute la journée et toute la nuit et que cela dérangeait les voisins. Je suis ressortie et je suis allée trouver Judith. On s'est assises dans la balançoire et on a parlé de Marius et de Claire. Elle saurait ce soir si elle était choisie ou non, et elle avait dit qu'elle téléphonerait. À un moment donné, on a entendu le téléphone et Judith a couru dans la maison, je suis restée dehors à l'attendre parce que sa mère n'aime pas trop qu'on rentre dans la maison. J'ai attendu longtemps, j'avais peur que ma famille revienne et que je doive rentrer sans savoir ce qui était arrivé. Je suis restée debout sur la galerie en guettant notre entrée. Puis Judith est sortie et elle m'a dit que Claire avait été choisie et qu'elle partait en tournée d'ici deux semaines. Elle avait vu Bruce mais il ne leur avait pas parlé. Elle a dit que c'était le gars le plus

gêné qu'elle avait jamais rencontré. Elle prenait l'autobus demain pour rentrer et se reposer deux semaines
avant de commencer. Elle s'ennuyait de Chicoutimi et
trouvait Montréal vraiment plate. Elle avait hâte d'aller
à la plage pour se baigner et faire des feux de camp.
Judith était contente que Claire revienne pour deux
semaines. Elle pourrait nous raconter tout ce qui s'était
passé.

J'ai vu la voiture de mes parents arriver et je suis
partie en courant. Ma mère m'a regardée et j'ai dit :

— Je vous attendais chez Judith.

Elle m'a répondu qu'elle savait que j'étais allée au
parc de la Colline et qu'à l'avenir elle aimait mieux que
je la prévienne. Elle a explosé un peu mais pas comme
lorsque je suis seule avec elle. Elle a marmonné qu'elle
se doutait que j'étais allée courir les garçons avec Judith
et que, laide comme elle était, elle était mieux de se
prendre à l'avance. Je n'ai rien dit parce que je ne voulais pas qu'elle commence son histoire sur la famille
de Judith. Elle a ordonné à mes frères et à ma sœur d'aller se laver parce qu'ils sentaient tous le vieux chien
d'étable.

La fin de semaine, mon père fait du café dans le
percolateur que sa mère lui a donné. Nous, on n'a pas
le droit d'y toucher et ma mère préfère le café instan-
tané parce que c'est moins de trouble. Je me lève toujours avant les autres et ma mère reste couchée plus
longtemps. La plupart du temps, mon père va lui porter son café au lit. On a entendu un cri de femme, puis
un deuxième encore plus fort et je n'avais jamais

entendu un cri comme ça. Mon père est sorti et monsieur Bolduc aussi. Ça venait de chez les Soucy. Monsieur Bolduc a vu le premier madame Soucy étendue au pied de la galerie. Il l'a montrée à mon père. La maison des Soucy est un *split level* et la galerie est haute. Mon père s'est tourné et m'a dit de rester là. J'ai attendu un peu et je l'ai suivi. Je me suis cachée derrière la voiture des voisins d'à côté mais j'ai vu madame Soucy qui saignait de la tête et qui pleurait le corps plié en deux. Monsieur Soucy est sorti et, lorsqu'il a vu mon père et monsieur Bolduc, il a dit que c'était un accident, que sa femme était tombée de la galerie parce qu'elle n'avait pas d'équilibre. Mon père ne l'a pas écouté et il est entré dans la maison. Monsieur Soucy criait qu'il allait s'occuper de sa femme, que ce n'était pas de leurs affaires. Mon père est ressorti avec une couverture et il l'a lancée à monsieur Bolduc. Il a recouvert madame Soucy. Ça n'a pas pris de temps qu'on a entendu l'ambulance. J'ai vu monsieur Soucy rentrer dans sa voiture à moitié habillé. Il est parti en reculant très vite. L'ambulance est arrivée et ils ont emmené madame Soucy. Ensuite, mon père a raconté à la police ce qui s'était passé et un des deux hommes a dit que ce n'était pas étonnant que cela finisse ainsi. Ils ont fait asseoir Pat Soucy dans la voiture et mon père a attendu. Il l'a ramené avec lui et, lorsqu'il m'a vue, il m'a dit que j'étais mieux de ne raconter à personne ce qui était arrivé et qu'à l'avenir lorsqu'il me disait de rester quelque part, j'étais mieux d'écouter parce que j'allais avoir affaire à lui. J'ai dit O. K., mais je n'ai pas peur de mon père. Il ne se fâche jamais longtemps et il ne fait jamais ce qu'il dit. Pat Soucy le suivait et, pour une fois, il ne parlait pas. Ça n'avait rien à voir avec le Pat Soucy du bowling. Il a passé deux jours chez nous à regarder la télévision. Le soir, il allait à l'hôpital avec ma mère. Au bout de trois jours, sa mère est sortie de l'hôpital. Elle avait une jambe cassée et des contusions. Elle n'avait rien à la tête, juste des égratignures. Le bonhomme Soucy n'était toujours pas réapparu. J'ai écouté ce que ma mère disait au téléphone à madame Bolduc. Après, elle a explosé : elle m'a dit d'arrêter de l'espionner comme ça. Je ne sais pas ce qui m'a pris mais j'ai explosé moi aussi. Ça m'arrive parfois, je ne peux pas m'en empêcher. Je lui ai crié qu'elle ne voulait jamais que je sorte, qu'elle trouvait toujours des défauts à mes amies. Je me demandais bien où je pouvais aller, je ne pouvais pas disparaître. Je ne voulais pas, mais je me suis mise à pleurer. Je suis partie dans ma chambre. J'ai pris un *Brigitte* et comme toujours, quand je commence à lire, j'oublie et je cesse de pleurer.

Je n'ai pas vu Judith depuis que Claire est arrivée. Elle passe tout son temps avec elle et je ne veux pas me faire regarder de travers et me faire demander par leur mère pourquoi je passe toute la journée à traîner sur leur galerie. J'attends, je sais que Judith va venir me chercher lorsque Claire va avoir fini de raconter ses histoires.

Au bout de deux jours, Judith est venue après le souper. Elle est entrée dans la maison et elle était très énervée. Elle a dit qu'ils avaient retrouvé le père de Pat Soucy dans le Saguenay au pied du vieux quai. Il était dans sa voiture, assis au volant et n'avait pas bougé. Elle en était certaine, son père revenait de chez Tanguay Équipement et tout le monde en parlait. Ma mère a dit que, si c'était vrai, ils allaient en parler aux nouvelles de dix heures. Judith m'a aidée pour finir le ménage et on est sorties. On est allées dans la cour d'école en faisant semblant de rien pour voir ce qui se passait chez les Soucy. Tout était normal. Les fenêtres et les rideaux étaient fermés mais c'est toujours comme ça chez eux. On est restées là un bon bout de temps. Juste avant qu'on se décide à partir, une voiture est arrivée. Une femme et un homme sont sortis et la femme a couru vers la maison. On a attendu que l'homme rentre les valises et quand on est passées devant l'entrée, on a vu que la licence de la voiture n'était pas celle du Québec. Ils venaient du Nouveau-Brunswick comme Rachelle, la bonne des Lemay. Je savais que c'était loin, parce que lorsque Rachelle allait chez ses parents, elle passait toute la nuit dans l'autobus.

Je suis rentrée, il faisait presque noir. Ma mère m'a demandé où j'étais passée et j'ai dit qu'on parlait avec d'autres filles sur le perron de l'école. Je ne lui ai pas laissé le temps de s'énerver et je lui ai raconté qu'il y avait une voiture du Nouveau-Brunswick chez les Soucy. Ça l'a intéressée tout de suite. J'ai dit qu'une femme qui ressemblait un peu à madame Soucy était arrivée. Ma mère a dit : « C'est sa sœur. » Elle avait l'air d'en savoir plus sur les Soucy que je ne le pensais. Je suis allée prendre ma douche en attendant les nouvelles et ma mère m'a crié de laisser de l'eau chaude pour les autres. Lorsque je suis remontée, elle m'a dit de faire rentrer mes frères. Ça a été la même histoire que tous les soirs : ils ne m'écoutent pas. Ma mère ne sort jamais pour cela, elle continue sa couture et passe son temps à me demander d'aller les chercher. Un peu plus tard, ma sœur a téléphoné pour dire qu'elle allait dormir chez les Bolduc. Ma mère a dit qu'elle ferait mieux de se faire adopter. L'été, ma sœur passe tout son temps avec Line Bolduc à jouer aux cartes ou à se baigner dans leur piscine hors terre. Madame Bolduc interdit à Line de sortir de la cour. Ma sœur a même fait un voyage avec les Bolduc dans le Maine où ils ont dormi dans un motel et se sont baignés dans la vraie mer. Ma sœur a rapporté des coquillages que ma mère a jetés dans une de ses rages de ménage.

J'ai lu un peu dans ma chambre et j'ai entendu ma mère crier après mes frères. Elle a dit que, s'ils continuaient à manger ainsi, ils allaient les ruiner. Moi, j'ai pensé qu'ils étaient encore en train de salir la cuisine que j'avais déjà nettoyée. J'ai attendu un peu qu'ils descendent se coucher et je suis remontée nettoyer leur dégât. On dirait que ma mère ne se rend compte de rien, ni qu'ils salissent, ni que je nettoie, ni qu'elle emplit toutes les pièces de la maison de fils et de retailles et qu'elle laisse des aiguilles partout que je passe mon temps à ramasser. Évidemment, il y avait du beurre de peanuts d'étalé sur le comptoir, des graines de toasts et de la terre de leurs chaussures par terre. J'aurais pleuré. J'ai tout nettoyé de nouveau et j'ai lavé les taches sur le plancher. J'ai entendu la musique de la fin du téléjournal national et je suis allée m'asseoir dans la chaise à côté de ma mère pour regarder les nouvelles régionales. Jean Ducharme, son animateur préféré, est apparu. Il a répété ce que Judith nous avait dit mais il n'a pas nommé monsieur Soucy, il a simplement dit que l'homme était connu des policiers pour des affaires de violence conjugale. Ma mère a fait une chose que je n'aime pas. Elle s'est parlé à elle-même. Ça me fait toujours peur. Elle a dit que c'était la meilleure chose qu'il avait faite dans sa vie. Sinon, il aurait fini par la tuer. Enfin, elle serait débarrassée, de lui et de ses cochonneries. J'ai attendu pour voir le film mais je l'avais déjà vu. Ma mère était déjà repartie coudre dans sa chambre.

J'ai fermé les lumières et je suis allée me coucher. J'ai repensé à ce que ma mère avait dit au sujet du bonhomme Soucy. Je ne comprenais pas de quelles cochonneries elle parlait. Il allait peut-être au Saloon de la rue Jacques-Cartier pour aller voir les danseuses comme les frères de Martial Turcotte ou les maris des sœurs de Judith. Avec mon père, on passait souvent devant le Saloon pour aller chercher mes frères à l'aréna, mais à l'extérieur, à part l'affiche où on apercevait une femme accroupie qui montrait le haut de ses fesses et des autos stationnées même au milieu de l'après-midi, on ne voyait jamais personne. Parfois, mon père reconnaissait une voiture et nommait le propriétaire en disant qu'il était en train de dépenser sa paye. J'ai pensé à Pat Soucy. Pat Soucy qui n'arrêtait pas de se vanter à tort et à travers. Qu'est-ce qu'il allait dire? Dans ma tête, je voyais son père, j'imaginais l'eau qui emplissait la voiture petit à petit. L'eau du Saguenay est froide même en été. Ma mère répète que, si tu tombes dans l'eau du Saguenay, tu meurs de froid. Avant de te noyer, ton cœur arrête. Je me demande si Pat Soucy va se marier quand même. Je me dis que c'est certain que tout le monde va parler de cela. Je tourne dans mon lit. J'essaie de penser à Bruce ou à mes *Brigitte* mais je n'arrête pas de voir monsieur Soucy en camisole, les deux mains sur le volant et qui attend de mourir.

Pendant la semaine, tout le monde a parlé des Soucy. Il n'y a plus personne dans leur maison. Pat et sa mère sont partis au Nouveau-Brunswick, on ne les a pas revus. Ma mère croit qu'ils sont partis de nuit parce qu'ils voulaient éviter les voisins. La tombe de monsieur Soucy a été mise dans un train pour Montréal et ensuite, elle sera transférée dans un autre train qui va vers l'ouest. Il y aura des funérailles dans son village natal. Dans l'avis de décès du journal, il y a la date des funérailles, le nom du village que j'ai eu de la difficulté à lire parce que c'est un nom indien et les noms de ses frères et sœurs. C'est une grosse famille. Ma mère pense que c'était la meilleure chose à faire. À Chicoutimi, tout le monde serait allé au salon funéraire juste pour sentir et, en plus, le curé se serait permis des commentaires comme il le fait tout le temps. Ma mère trouve qu'il ne se mêle pas de ses affaires. Martial Turcotte a raconté à tout le monde que le bonhomme Soucy ne serait pas enterré dans le cimetière mais à côté de la clôture parce que l'Église catholique refuse d'enterrer les suicidés. Martial Turcotte parlait encore à travers son chapeau et c'est vrai que c'était comme ça dans l'ancien temps, mais plus maintenant. Il a aussi rapporté d'autres choses que je n'ai pas répétées à ma mère. J'étais trop mal à l'aise. Selon lui, le bonhomme Soucy faisait embarquer des pouceux et essayait de les tripoter. Il se serait suicidé parce que la police l'avait pris sur le fait. Je ne sais pas où il a pris cette histoire mais Judith a dit que tout le monde savait cela depuis longtemps.

Judith et moi, on a gardé Régis presque tous les soirs parce que Claire avait souvent des amis. On l'a emmené à la balle. Régis est un fou du baseball et de la balle lente. Il s'installe derrière le grillage du marbre et imite les commentateurs de la télévision. Cela fait rire tout le monde, surtout lorsqu'il crie : « Et c'est une prise ! » Les gars de la balle rient avec lui et lui donnent du coke et des bonbons en l'appelant leur annonceur maison. Lorsqu'on repart, il faut tirer Régis par la manche parce qu'il ne veut jamais rentrer. Nous, on passe notre soirée à regarder Marius. Il est presque toujours là, même les soirs où il ne joue pas. Il est souvent marqueur, s'occupe de l'équipement, de la bière et de séparer les joueurs lors des échauffourées. On lui a écrit deux autres lettres mais on a arrêté parce qu'on avait peur qu'il nous remarque. C'est le plus beau gars qu'on a jamais vu. À cause de lui, l'été est moins plate et, au moins, on peut aller le voir.

Judith me dit que je dois venir vite. Elle a laissé Régis seul et elle doit retourner chez elle. Ses parents sont partis à l'hôpital et elle avait trop peur. Claire a eu un accident il y a quelques minutes, c'est son cousin qui est venu prévenir ses parents. Il l'a vue par terre et, dès qu'il l'a reconnue, il s'est dépêché de les avertir. Ma mère a entendu du bruit et elle est remontée du sous-sol. Elle questionne Judith pendant que je m'habille mais elle ne sait pas grand-chose. L'auto a fait un tonneau au milieu de la côte Sainte-Geneviève. Claire a été éjectée de la voiture. Elle n'en sait pas plus. Ses parents vont appeler. Elle dit qu'elle aurait voulu aller à l'hôpital mais qu'il fallait que quelqu'un garde Régis et c'est comme ça depuis qu'elle est toute petite, elle ne fait que garder le débile. Judith est fâchée, je ne l'ai jamais entendue traiter Régis de débile. J'apporte ma jaquette parce que je vais dormir avec elle si ses parents ne reviennent pas. Je la suis dans la rue en courant.

Régis est dans la chaise de sa mère et il a les mains et le bas des oreilles en sang. Judith le frappe sur les bras :

— Maudit, tu t'es grafigné, tu le sais, papa va te punir.

Quand Régis est fâché ou que son père part sans lui en voiture et qu'on ne le surveille pas, il se cache et se gratte jusqu'au sang. Il passe des jours avec des cicatrices et parfois cela s'infecte et on doit le soigner avec du peroxyde et on l'entend crier dans tout le quartier. Je dis à Judith de se calmer et je commence à nettoyer Régis, on ne peut pas le laisser comme ça. Il y a du sang sur la chaise et sur son pyjama. Après ses crises, Régis pleure tout bas à grosses larmes. Cela peut durer des heures. Je lui parle doucement et je demande à Judith de lui faire un Quik. Régis adore le Quik et c'est ce que sa mère lui sert lorsqu'il est comme ça. Judith me donne un pyjama propre et je le change. Il se rassoit dans la chaise de sa mère et je lui tends sa tasse, il prend sa cuillère et la tourne sans arrêt. Judith dit que ça l'énerve quand il fait ça. Elle va dans la pharmacie de la salle de bains et revient avec le médicament de Régis. C'est pour le calmer. De temps en temps, le soir, s'il est trop énervé, il prend une pilule et il s'endort. Le lendemain, il reste toute la journée assis et il ne passe pas son temps à se parler tout seul et à se mettre en colère pour tout et rien. Toute la maison est plus tranquille.

On est allées dans le salon et on a regardé un film avec Doris Day. Je l'avais déjà vu. Au 12, au cinéma de fin de soirée, ils repassent souvent les mêmes vieux films. On s'est endormies sur le divan parce que lorsque Rollande, la sœur aînée de Judith, est arrivée avec son mari, on ne les a pas entendus rentrer. Ils ne savaient pas grand-chose. Claire était inconsciente aux soins intensifs et on ne pouvait la voir que cinq minutes par heure. Elle avait une fracture du crâne et de graves blessures sur le côté du visage. Les médecins ne pouvaient rien dire de plus. C'est sûr qu'elle aurait des cicatrices. Ils sont repartis dormir un peu et, le matin, ils iraient remplacer les parents. Selon Rollande, ils n'en menaient pas large. Elle a ajouté que, pour quelque temps, il faudrait placer Régis, ils ne seraient pas en état de s'en occuper. Elle appellerait aux Services sociaux dès qu'elle pourrait.

Ils sont partis et Judith et moi on s'est couchées dans sa chambre. On a commencé à parler. C'était sûr que Claire ne pourrait pas aller en tournée avec Bruce. Judith m'a demandé si je pensais que Claire allait devenir laide. Elle avait peur que sa cicatrice soit grosse comme celle que la fille du bureau de poste avait au menton. Pour moi, c'était impossible. C'est vrai que, sur le coup, c'est toujours pire. Lorsque mon frère avait eu un accident au hockey, au début, on pensait que l'œil allait lui sortir de la tête. Maintenant, ça ne paraissait plus du tout. Judith a continué de parler de Claire et de son mariage qui tomberait à l'eau. Bruno Blackburn ne serait plus intéressé de se marier avec une fille pleine de cicatrices dans la face. Il aurait honte avec les autres femmes de docteur. Je ne savais pas quoi faire pour la consoler. Dans ma tête, j'entendais ma mère. Ce qu'elle dirait de l'accident. Elle n'arrêtait pas de répéter que la gang de Claire était une bande d'enfants gâtés et surtout qu'ils n'étaient pas de son monde et qu'elle paierait cher pour s'en rendre compte.

J'ai entendu Régis se lever et je suis allée lui faire

son déjeuner et l'habiller. Lorsque les parents de Judith sont arrivés, il finissait de manger et je venais juste de lui donner sa cigarette. Régis fume toujours une cigarette après ses repas et il doit la fumer à la table. Il faut le surveiller pour qu'il ne mette pas le feu. Judith dormait toujours et je suis allée la réveiller. Je suis partie chez nous parce que la mère de Judith pleurait tellement que je ne savais plus où me mettre.

— Ça devait arriver, une tête folle comme ça.

Ma mère raccroche. Depuis l'accident de Claire, elle passe son temps au téléphone avec sa famille. Moi, je reste assise sur la galerie et je fais semblant de lire mais je n'arrête pas de surveiller ce qui se passe chez Judith. Sa sœur est venue chercher Régis pour aller le reconduire dans un foyer d'accueil. Judith part tous les matins avec son père et sa mère à l'hôpital. Je ne la vois plus et même le soir, lorsque je l'attends sur le coin de la pelouse, elle ne vient pas me voir. À peine si elle me fait un signe. C'est comme si elle était fâchée. Ma mère est allée un soir avec madame Bolduc. Lorsqu'elle est revenue, elle a explosé mais je m'y attendais. Je suis restée assise dans ma chaise sans dire un mot jusqu'à ce qu'elle ait fini. Évidemment, ce qui était arrivé à Claire était de sa faute, embarquer avec un pareil fou. Depuis le début de l'été, tout le monde disait que, s'il continuait, il allait se tuer. En plus, c'est connu, les fous dans son genre ne se tuent pas, en général, ce sont les autres qui écopent. Quant à moi et ma sœur, qu'il ne nous vienne pas à l'idée d'embarquer avec n'importe qui, elle y verrait. Elle a fini par se calmer et, lorsque j'ai été certaine qu'elle n'allait pas recommencer, j'ai demandé des nouvelles. Il n'y avait rien de nouveau. Claire était dans un semi-coma, elle avait une fracture du crâne et les médecins ne pouvaient rien dire pour le moment, ni si elle allait rester handicapée, ni si elle allait perdre la mémoire, ni rien. En plus, la partie gauche de son visage avait frotté sur l'asphalte et elle porterait des marques pour le reste de ses jours. Ça, c'était certain. Je pensais souvent à l'accident. Claire n'accompagnerait pas Bruce en tournée, on n'allait pas le voir sur leur terrain, elle ne se marierait pas avec Bruno Blackburn. Judith n'arrêtait pas de le dire, Bruno voulait se marier avec Claire parce qu'elle était la plus belle fille de toute la ville. Tout tombait à l'eau.

Pendant des jours, il a fait chaud. Ma mère pestait contre la chaleur et ne sortait plus du sous-sol. Il faisait tellement chaud qu'au terrain de jeu ils emmenaient les enfants à la piscine du parc de la Colline tous les après-midi. Moi, je restais dans la cave à lire les livres que je prenais dans la bibliothèque de madame Leclerc. J'allais souvent garder, même les soirs de semaine. Elle et son mari sortaient beaucoup. C'était la meilleure place pour garder les enfants de tout le quartier. Je n'avais rien à faire, sauf nettoyer le lavabo de la salle de bains que son mari laissait toujours sale et ranger les produits de toilette. Les garçons dormaient déjà lorsque j'arrivais. En plus, avant de partir, madame Leclerc, qui était toujours prête avant son mari, me sortait, avec le Windex et le Comet, un gros chip au vinaigre sur le comptoir et me disait qu'il y avait du coke dans le frigidaire. Mais ce que j'aimais le plus, c'était leur sous-sol. C'est là que madame Leclerc avait sa bibliothèque. Il y avait un vrai bureau avec une machine à écrire et des livres partout sur des étagères. Un soir, j'ai trouvé le meilleur livre de toute ma vie : *Un certain sourire*. Au début, j'ai pensé que c'était un drôle de titre mais j'ai commencé à le lire quand même. C'était l'histoire d'une fille qui tombait en amour avec l'oncle de son ami. Il l'avait même invitée à faire un voyage avec lui. Après, il avait fait comme si cela ne s'était pas passé, et ne l'avait jamais rappelée. La fille était restée couchée à pleurer pendant des semaines. À la fin, elle se relevait et commençait à sortir dans Paris. Elle disait que c'est comme si elle voyait la beauté de la ville pour la première fois.

Je pouvais emprunter tous les livres que je voulais, ça ne dérangeait pas madame Leclerc. Elle en avait beaucoup parce que, lorsqu'elle travaillait de nuit à l'hôpital et que c'était tranquille, les infirmières lisaient pour se garder éveillées. Elles avaient des abonnements au *Reader's Digest*. Je commençais à lire dès qu'ils partaient et, même s'ils rentraient tard, j'étais encore debout à lire. J'ai raconté *Un certain sourire* à Judith mais elle trouvait l'histoire plate. Moi, je n'arrêtais pas d'y penser.

Claire a fini par se réveiller. Elle n'avait pas perdu la mémoire mais, selon les docteurs, elle resterait fragile toute sa vie. Ils avaient expliqué que Claire aurait des émotions bizarres et même des crises de colère. Cela faisait partie des séquelles des fractures du crâne.

Judith et moi, on a recommencé à aller à la balle au parc de la Colline et à surveiller Marius. C'était mieux que rien. L'accident de Claire avait fait la première page du journal. Il y était question d'un procès contre le conducteur de la voiture. C'était un cousin de Bruno Blackburn et son père aussi était médecin. Ma mère croyait que les Blackburn allaient s'organiser pour arranger ça et elle mettait sa main au feu que ça n'irait pas en cour. Les docteurs achèteraient les Lavallée pour une bouchée de pain.

Ma mère avait raison. Claire n'était même pas sortie de l'hôpital que le camion du magasin Gagnon et Frères s'est mis à venir chez les Lavallée. Ils ont tout changé les meubles de la maison : ceux du salon, de la cuisine et de la chambre de Claire. Ils ont aussi remplacé les tapis, même celui du salon, qui était presque neuf. Ma mère a dit à mon père :

— Qu'est-ce que je t'avais dit, ils les ont achetés pour des meubles. Faut-tu être arriérés! C'est pas le divan fleuri qui va y ramener la santé. Elle pourra peut-être plus travailler. Ils vont être pris avec deux infirmes!

Mon père a marmonné comme toujours :

— Simone, là tu vas trop loin.

Ma mère n'a pas décoléré de toute la semaine, cela lui prenait chaque fois que le camion de meubles se stationnait dans la rue. Elle n'arrêtait pas de parler de l'ignorance et de l'instruction. Je n'écoutais pas, je savais son discours par cœur.

Moi, je suis allée chez Judith pour voir leur nouveau salon. Je n'avais jamais rien vu d'aussi beau, même chez les Leclerc qui ont une des plus belles maisons du quartier. Le salon était pareil à la page d'une revue de décoration américaine que Claire avait feuilletée à l'hôpital. C'est elle qui avait tout choisi dans le catalogue et, comme Judith l'affirmait, Claire avait du talent pour la décoration. D'ailleurs, elle allait probablement prendre un cours en sortant de l'hôpital. On est descendues au sous-sol pour voir la nouvelle chambre de Claire. Elle avait des meubles blancs et les rideaux, le tapis et le couvre-lit étaient rose foncé. Elle sortirait de l'hôpital la semaine prochaine et la chambre serait prête. Judith m'a montré une autre photo du magazine et tout était pareil sauf pour les cadres, mais c'était normal. Lorsque je suis revenue chez nous, j'ai eu honte. La salle familiale était laide et personne dans le quartier n'avait des meubles comme les nôtres. En plus, les patrons de couture de ma mère traînaient encore par terre.

Depuis que Claire était revenue de l'hôpital, on emmenait Régis partout où on allait. Cela lui permettait de se reposer. Elle trouvait insupportable de l'entendre se parler tout seul à longueur de soirée. Régis passait son temps dans la berceuse en face de sa mère, à se raconter des histoires. Parfois, exaspérée, madame Lavallée lui criait de se taire et c'était elle qui se mettait à monologuer sur le sort que la vie lui avait fait en mettant au monde un infirme qu'elle aurait sur le dos jusqu'à sa mort. Régis nous suivait à toutes les parties, son gant de baseball collé à la main. De temps en temps, il s'arrêtait pour mimer les gestes des receveurs. Ça irritait Judith qui lui poussait dans le dos pour le faire avancer. Judith et moi, assises dans les gradins, on surveillait Marius. Depuis que je le connaissais, je pensais moins à Bruce et à Pierre Lalonde. Je me disais qu'il pourrait m'arriver la même chose qu'à la fille d'*Un certain sourire*. Le soir, j'imaginais que je partais avec Marius en voyage à Québec ou bien à l'île d'Orléans où on était allés une fois avec mon père pour cueillir des fraises de jardin. Je n'en parlais pas à Judith, j'avais trop peur qu'elle rie de moi. Claire était sortie de l'hôpital mais je ne l'avais pas vue de près. Je ne pouvais plus rentrer chez

Judith, c'était interdit. D'ailleurs, pour un bout de temps, personne n'avait le droit d'y aller, même pas ses sœurs et leurs maris. Claire passait la journée sur le divan de leur nouveau salon à lire des romans-photos et à regarder la télévision. Elle portait en permanence un pansement sur sa joue gauche même s'il aurait mieux valu laisser les blessures à l'air libre pour accélérer la guérison. Les autres sœurs de Judith avaient parlé en cachette avec leur mère et elles croyaient que Claire faisait une dépression. Bruno Blackburn avait envoyé une carte mais Claire ne l'avait montrée à personne. Tout le monde pensait qu'il avait cassé. Moi, je savais qu'il était revenu en ville. Madame Bolduc prenait des cours de danse avec une de ses tantes et elle l'avait rapporté à ma mère. Je ne savais pas comment en parler à Judith. De toute façon, Claire allait finir par l'apprendre.

Ma mère et madame Bolduc revenaient sans cesse sur l'accident et sur les cicatrices. Madame Bolduc expliquait que la peau du visage de Claire avait été brûlée en frottant sur l'asphalte. Elle aurait le front et le haut de la joue marqués de taches noirâtres pour le reste de sa vie. Ils ne pouvaient pas la greffer parce que cela aurait été pire. Elle aurait eu la peau pleine de crevasses. Pour elle, tout l'argent des Blackburn ne lui redonnerait pas son visage. Une femme défigurée comme ça, sa vie était finie. Madame Bolduc affirmait qu'il n'y avait pas de justice et elle repartait sur le cancer de sa mère et sur le voyage qu'elle allait faire en Europe sans elle. Elle ne s'y rendait que pour son frère. Il se mourait d'ennui en Allemagne. Il voulait tellement qu'elle vienne et, en plus, son mari avait fait toutes les démarches. Elle n'avait pas le choix, elle devait y aller. Je faisais tout pour éviter le sujet de Claire avec ma mère. Mais je ne pouvais pas m'empêcher de l'entendre quand elle discutait au téléphone. Elle répétait toujours la même chanson. Claire était une tête de linotte et elle aurait dû garder sa job à la pharmacie ou suivre son cours commercial. En plus, elle avait été acceptée. Mais deux ans à l'école professionnelle, c'était trop long pour madame. Défigurée comme elle l'était, même avec un bon cours de secrétaire, elle aurait du mal à se trouver une job. Elle croyait quand même que monsieur Duquesne allait la reprendre à la pharmacie, par charité. Monsieur Duquesne était bon, il faisait crédit sur les prescriptions. Pendant la grève des gars de la compagnie forestière, il avait même donné des médicaments pour les enfants. Depuis ce temps-là, ma mère le vénérait même s'il avait une mauvaise réputation. Il paraissait qu'il arrivait souvent à la pharmacie complètement dopé par les Valium. Ma mère aussi se vantait de faire la charité. Elle avait confectionné les robes de la sœur de madame Bolduc gratuitement. Elle savait qu'elle n'avait pas un sou et elle ne pouvait plus travailler dans les maisons privées avec la bedaine pardessus la tête. Madame Bolduc était bien bonne de la garder chez eux, sinon elle serait à la rue.

Un matin, Claire est sortie sur la galerie. Elle n'en pouvait plus de rester enfermée avec la chaleur. Je suis allée lui parler avec Judith. Elle portait un bandeau noir et ses cheveux étaient attachés par un chignon. Elle avait maquillé ses cicatrices mais cela faisait des taches grises sur le bord de son front. On aurait dit de la terre glaise comme celle sur le bord des maisons en construction. Même si je ne voulais pas, je n'arrêtais pas de regarder ses cicatrices. Elle a parlé de l'hôpital, de ses dons pour la décoration et le maquillage. Elle avait donné des conseils aux infirmières et un soir en avait maquillé une pour montrer aux autres. À l'automne, elle hésitait entre prendre un cours d'esthéticienne ou de décoratrice. Elle n'a pas prononcé le nom de Bruno Blackburn. Avant, Claire ne parlait que de lui, du mariage, de la grosse maison près de l'hôpital qu'ils feraient construire, une maison aussi grosse que la maison ronde que nous voyions le dimanche lorsqu'on faisait un tour de voiture pour admirer les domaines du quartier Murdoch. Judith et moi, on faisait comme avant l'accident, on écoutait Claire. Elle avait le projet de faire un gros party pour revoir ses amis. Cela durerait toute la nuit. Il n'était pas question que Judith et moi soyons dans les parages. On était bien trop jeunes et mal habillées. Elle aurait honte. Moi, ça ne me faisait rien de ne pas venir à ses retrouvailles avec sa gang de La Pilule, mais j'étais déçue. À cause de l'accident, on ne rencontrerait jamais Bruce. On ne verrait pas non plus la photo de Claire entourant Bruce avec les autres danseuses dans l'*Échos Vedettes*. Pour une fois, j'aurais pu dire à ma mère qu'elle s'était trompée.

— Avoir autant de voix et la massacrer! T'as encore chanté en dehors de la tonalité. Si tu continues, je vais te sortir de la chorale. Monsieur Fortin avait parlé fort, il était tout rouge. Je me suis penché la tête et je me suis retenue pour ne pas pleurer. Pourtant, la semaine dernière, il m'avait dit que si je continuais comme ça, il allait me prendre pour les mariages et les funérailles et je savais que cela donnait deux dollars à chaque fois. Pendant le sermon, les membres de la chorale se rendent dans la pièce attenante à la sacristie. Il y a du café et des sandwichs au jambon et des beignes préparés par la sœur qui s'occupe du presbytère. Tout le monde parle tout bas pour ne pas déranger le curé. Je suis restée dans mon banc même si je me mourais de faim et que j'aime beaucoup les beignes de la sœur. À la fin du sermon, le curé fait les annonces. Il nomme les morts, il signale les naissances et les mariages. En général, je n'y fais pas attention parce que, de toute façon, je dois rapporter le semainier à ma mère qui en fait la lecture à mon père. Mais, là, lorsque j'ai entendu le nom de Marius et de sa profession de barbier, j'ai levé la tête. Le curé était en train d'annoncer son mariage pour le dernier samedi d'août. La mariée était Jacynthe Tremblay, une maîtresse de l'école Saint-Charles. Je la connaissais, elle avait les cheveux courts et portait des lunettes. Elle était cent fois moins belle que Claire même avec ses cicatrices. Je n'en revenais pas. Marius allait se marier. Elle, je ne me souvenais pas de l'avoir vue à la balle une seule fois. Quand Judith est revenue s'asseoir près de moi et qu'on a commencé à chanter le *Credo*, je lui ai chuchoté à l'oreille que Marius allait se marier. Elle a continué de chanter comme si de rien n'était parce que monsieur Fortin nous avait à l'œil. J'ai fait semblant de chanter mais je ne faisais que bouger mes lèvres. J'avais trop peur de fausser encore une fois. La messe finie, nous sommes parties tout de suite. J'ai oublié d'apporter le semainier. Judith et moi, on était silencieuses. Elle n'est pas venue dîner à la maison parce qu'il y avait déjà du monde, ma grand-mère Fernande et le frère de mon père et sa fiancée venaient manger avec nous. J'étais contente parce que, avec ma grand-mère, je ne faisais jamais la vaisselle. Elle m'envoyait jouer dehors avec mes amies. C'était la personne que j'aimais le plus dans toute ma famille. Avant de commencer à garder chez les voisins, j'allais souvent chez elle la fin de semaine. Mon père venait me reconduire en arrivant de travailler le vendredi, et revenait me chercher le dimanche. Ma mère n'arrêtait pas de répéter que ça l'arrangeait parce que cela lui donnait une raison d'aller voir sa maman. Moi, tout ce que je voulais, c'était d'arriver au plus vite pour qu'on ait le temps d'aller chez Woolworth avant la fermeture. C'était mon magasin préféré et ma grand-mère connaissait tout le monde. On s'assoyait au comptoir-lunch et je pouvais commander des frites et une orangeade. Ma grand-mère disait que le coke était une liqueur noire et que c'était dommageable pour les enfants. Après, on rentrait chez elle à pied. Elle habitait en haut du terminus d'autobus et je passais des heures à la fenêtre à regarder les gens en train d'attendre. Il y avait plein de monde. Juste en face, c'était l'hôtel Picardie. Je savais qu'il y avait des choses graves qui se passaient à cet hôtel, des choses pires qu'aux danseuses du Saloon mais je ne savais pas quoi. Lorsque ma grand-mère ne faisait pas le ménage, elle priait. Elle priait tout le temps. Souvent, lorsque je me levais, elle était dans sa berçante en plastique orange et écoutait Connie Francis ou bien Tino Rossi en égrenant son chapelet. La table était toujours mise de la veille et elle m'attendait pour déjeuner. Elle achetait du fromage Velveeta de Kraft que ma mère n'achetait jamais parce que c'était trop cher et que de toute façon on mangeait le paquet au complet en un seul repas. Ma grand-mère m'en coupait deux grosses tranches que je divisais en petites bouchées.

Ma mère ne me laisse pas le temps de rentrer. Elle me dit de me dépêcher et elle ajoute que, pour une fois, je n'ai pas ramené le quartier pour qu'elle le nourrisse. Je m'assois près de la fiancée de mon oncle, ils vont se marier au début de l'automne. Elle porte un *jump suit* psychédélique avec des pois multicolores de différentes tailles et des gros anneaux en plastique noir qu'elle enlève à tout bout de champ parce que ça lui pince les oreilles. C'est la femme la plus à la mode que je connaisse. Elle ressemble comme deux gouttes d'eau à l'actrice de l'intermède *Mademoiselle de Paris* qu'on voit au canal 12 juste avant le dernier film. Elle et mon oncle passent leur temps à s'embrasser et cela gêne ma grand-mère qui baisse les yeux à chaque fois. Ma future tante est couturière de profession et travaille dans une boutique de complets pour hommes sur la rue Racine. C'est en attendant l'autobus qu'elle a rencontré mon oncle. Ma mère trouve qu'elle n'a pas d'éducation. Elle a fait cette remarque à mon père la première fois qu'elle l'a rencontrée. Moi, je la trouve normale. Elle est gentille et aide ma grand-mère à faire la vaisselle. C'est un bon repas. Ma mère a même fait un gâteau des anges avec de la crème fouettée. Je suis contente parce que je vais pouvoir me rendre chez Judith sans attendre pour parler du mariage de Marius. Je prends deux cigarettes dans le congélateur, parce que Judith a souvent envie de fumer quand ça va mal, et je sors. Dès qu'elle me voit, elle me demande d'aller lui chercher ses cigarettes, j'ouvre ma main et nous fonçons droit sur le perron de l'école. En passant, nous voyons Pat Soucy en train de se battre avec la tondeuse. Lui et sa mère sont revenus et le gazon lui arrive aux genoux. Judith s'allume avec le briquet qu'elle a volé à la quincaillerie Brassard. Elle était avec son père et personne ne l'a vue. Elle a mis le briquet dans le sac de clous déjà payé et, une fois dans l'auto, elle l'a fourré dans sa poche. Je suis la seule qui le sait, après elle a eu peur pour mourir et si son père l'apprenait, il la tuerait. Une fois sur le perron, Judith a fumé et, je ne sais pas pourquoi, on n'avait pas grand-chose à dire sinon que Jacynthe Tremblay n'était même pas belle et on savait par les garçons qu'elle avait une façon de pincer la peau juste au-dessus du coude qui pouvait faire très mal. Elle avait déjà eu une plainte de parents. On a compté le temps qu'il restait avant de commencer l'école. Pour Judith ça faisait cinq semaines, mais pour moi quatre et demie. À cause de ma classe spéciale, nous devions nous présenter deux jours plus tôt que les autres. C'était le pire été de notre vie. Tout allait de travers : l'accident de Claire, Marius qui allait se marier et la rencontre avec Bruce qui était tombée à l'eau. En plus, je savais que ma mère n'en avait pas fini d'exploser. Elle avait commencé à me casser les oreilles avec la rentrée des classes qui était une calamité parce que cela coûtait de plus en plus cher. Avec une au secondaire, elle ne savait pas comment elle allait s'en sortir. J'avais rétorqué que je gardais souvent et que j'avais ramassé mon argent. J'en avais assez pour payer mes livres et mes souliers. Évidemment, elle a juste haussé les épaules. Ma mère mourrait plutôt que d'avouer que quelqu'un d'autre a raison. Judith et moi, on ne parlait pas souvent de la polyvalente. Plus ça approchait et moins on en parlait. Pourtant, l'année passée, dans la classe de sœur Thérèse, on ne rêvait que de ça : enfin des cours avec des garçons. Il n'y aurait plus de sœurs arriérées. Personne pour nous forcer à aller à la confesse et à nous obliger à participer à des neuvaines. Avant Noël et avant Pâques, les sœurs nous conduisaient à des neuvaines menées par des missionnaires retraités. Une fois, le vieux était tellement sale que ça sentait le vomi lorsqu'on entrait dans le confessionnal. Heureusement pour les nouveaux, les sœurs étaient parties, et à l'automne l'école serait mixte.

On est repassées devant chez les Soucy et on a vu une pancarte « À vendre » plantée devant la maison. Tout le reste de l'après-midi, on a aidé le père de Judith à nettoyer le mini-putt parce que, depuis l'accident, il l'avait négligé. Il avait sorti l'aspirateur et on a nettoyé chaque trou. Moi, j'enlevais les petites roches et Judith passait la balayeuse. Sur un des tapis, on a trouvé plein de fourmis qu'on a vaporisées au Raid. Les fourmis partaient dans tous les sens et Judith les pourchassait avec son boyau. Elle m'a annoncé qu'il nettoyait ainsi parce que Claire avait décidé de faire son party samedi soir prochain. Elle n'était pas ressortie depuis son accident et son nouveau docteur trouvait important qu'elle ne se referme pas sur elle-même. Claire allait inviter toute sa gang et aussi Bruno Blackburn, mais juste en ami parce que celui-ci ne pouvait plus se permettre de sortir sérieusement avec une fille. Il irait étudier deux ans à Boston dans la plus grande université du monde pour devenir un médecin spécialiste. Judith pense que ce n'est pas Bruno qui a décidé mais son père. Il allait être gynécologue comme son oncle. Judith était convaincue qu'il aimait toujours Claire. Lorsqu'il aurait fini ses études, c'est sûr, ils allaient reprendre. Judith et moi, on garderait Régis samedi, et cela adonnait bien, c'était le soir du tournoi de balle de nuit au parc de la Colline. Je savais que je pourrais y aller sans problème parce que toute la famille allait être partie à l'Anse-Saint-Jean au nouveau camping du cousin de mon père. J'avais menti à ma mère en lui racontant que je devais garder chez madame Leclerc. Pour ma mère, aller garder est sacré, il était défendu de refuser. Judith, elle, ne garde pas, elle trouve cela plate. Elle gagne son argent de poche en faisant les commissions de Claire. Parfois, elle monte la côte du Casse-Croûte quatre ou cinq fois par jour pour fournir Claire en cigarettes à la cenne et en *cream soda*.

Après le souper, Pat Soucy est venu à la maison et ma mère n'a pas cessé de me faire des gros yeux. Par deux fois, elle m'a dit d'aller prendre l'air parce que l'école allait commencer bientôt et qu'il n'était pas question que je sorte le soir. D'ailleurs, la grande insignifiante de Claire était sur la galerie. Elle venait de la voir sortir avec Judith qui, elle en était certaine, ne ferait pas mieux que ses sœurs et allait se retrouver mariée avec un gars de l'usine à papier à tirer le diable par la queue pour le reste de sa vie. Je connaissais la chanson par cœur. Mais je voulais trop savoir ce que Pat Soucy allait raconter. Il a donné une carte de remerciement à ma mère. Il y avait un bouquet de fleurs dessus et le texte intérieur était imprimé. J'ai eu le temps de lire : *Vos témoignages de sympathie nous ont soutenus à travers cette épreuve.* Il y avait un mot écrit à la main mais ma mère a refermé la carte et je n'ai pas osé la rouvrir. Pat Soucy n'avait pas changé. Il portait son complet-veston rouge vin. Pat Soucy porte toujours une cravate. Dans le quartier tout le monde rit de lui à cause de cela. Il se promenait de long en large en racontant les dernières nouvelles. Lui et sa mère avaient passé trois semaines chez sa tante à Richiboucto au Nouveau-Brunswick. Il avait fait du bateau avec son oncle et, une fois, ils avaient accosté à l'Île-du-Prince-Édouard. Là-bas les femmes font toutes sortes de mets qu'on ne connaissait pas par ici, comme de la soupe aux palourdes de mer. Au large, il a vu des méduses que son oncle appelle des « soleils » et qui peuvent vous tuer si elles vous piquent.

Les patrons du garage lui avaient gardé son emploi et il recommençait à travailler dès le lendemain. Il allait toujours se marier et Nathalie vivrait avec lui et sa mère dans leur nouvelle maison à Chicoutimi. Ils vendaient la vieille et s'installeraient dans le quartier des oiseaux juste derrière la nouvelle polyclinique. C'était le nouveau quartier chic de la ville, d'ici quelques années, cela allait être aussi beau que le quartier Murdoch. Juste avant de partir, il s'est retourné et il nous a déclaré que le monde de la rue Mésy étaient tous des écœurants d'avoir raconté n'importe quoi sur leur dos. Son père s'était suicidé parce qu'il était malade et il savait qu'il ne lui restait que quelques mois à vivre. Il ne voulait pas finir dans des souffrances atroces. Sa mère et lui étaient heureux de sortir de ce trou. Je me suis précipitée pour filer derrière lui. J'étais contente d'être restée, je venais d'entendre la plus grosse menterie de Pat Soucy à ce jour.

Claire faisait sa liste d'invités pour le party. C'était compliqué parce qu'il fallait trouver les adresses dans le livre du téléphone et que Claire n'avait que leur nom de famille et de la rue. Elle ne connaissait pas le nom des pères de ses amies. Judith et moi on cherchait parmi les noms propres qui correspondaient à la rue. On a passé la soirée là-dessus et on les a presque tous trouvés. Claire enverrait les cartes le lendemain. On allait l'aider pour les lanternes chinoises et pour installer le tourne-disque. Je suis rentrée à la maison. Ils étaient tous partis chez Viau pour acheter des cornets de crème molle. Je suis allée dans ma chambre et j'ai commencé à lire un nouveau livre que j'avais pris dans la bibliothèque de madame Leclerc. Ça m'a surprise parce que le livre se passait à Montréal. C'était la première fois que je lisais un livre qui se passait au Canada, d'habitude c'était toujours en France. Au début, j'ai eu de la difficulté à suivre. Madame Leclerc a de drôles de livres. J'ai fini par comprendre que c'était une femme qui parlait et qui racontait que son mari était parti avec une de ses étudiantes. Il était professeur à l'université. La fille était blonde et ne portait pas de soutien-gorge sous ses tuniques de hippy. J'ai continué de lire même quand tout le monde a été couché. La femme racontait sa vie, sa rencontre avec son mari, son petit village d'origine, sa naïveté, et elle insistait sans arrêt sur la beauté de cette fille qu'elle avait suivie dans la rue plusieurs jours de suite. Personne ne savait qu'elle la suivait mais elle n'y pouvait rien. Depuis six mois, elle ne faisait que ça. Elle disait que suivre cette fille dans les rues de

Montréal la rendait libre. Elle se sentait légère et heureuse pour la première fois de sa vie. À la fin, son mari voulait revenir vivre avec elle, mais elle refusait. Après, j'ai tourné dans mon lit. Je n'arrêtais pas de penser à l'accident de Claire et aux deux grosses taches noires et bleutées qu'elle avait sur le côté du visage. Quand je lui parlais, je n'arrêtais pas de les regarder, c'était plus fort que moi. Je me suis couchée sur le ventre pour jouer aux feux d'artifice. Je pèse sur mes yeux très fort et je vois toutes sortes de points qui explosent. Des fois ça m'endort. Quand mon père s'est levé avec ma mère pour partir travailler, j'étais encore réveillée. Je les ai entendus parler. Ma mère lui a encore ressorti qu'elle n'en pouvait plus qu'il parte à chaque semaine. Elle passe son temps à lui reprocher. J'aurais aimé mieux ne pas les entendre parce que ça me fait honte pour mon père. Il n'a pas pu aller à l'école longtemps, sa famille était trop pauvre. C'est pour ça qu'il travaille dans le bois. Il répète toujours qu'au moins il ne passe pas sa vie dans la chaleur et dans la senteur écœurante de la pâte à papier. Des fois, quand le vent vient du sud pendant l'été, ça sent l'usine de Kénogami jusque dans la rue Mésy. Ma mère dit que ça empeste le moulin et on ferme les fenêtres.

Le père de Judith est retourné deux fois au magasin pour échanger les lanternes chinoises, il y en avait toujours une qui ne fonctionnait pas. Claire l'a traité d'imbécile. Judith et moi on a arrêté de parler mais il a fait comme s'il n'avait pas entendu. Plus tard, Judith m'a expliqué que c'était à cause de l'accident. Claire était irritable. On a déplié toutes les chaises de parterre et Claire a installé le tourne-disque sur une table de pique-nique. Après, on est rentrées et j'ai coupé toutes les croûtes de pain des sandwichs. On les a mises dans des plats Tupperware spéciaux que Claire avait achetés à madame Bolduc pour son trousseau. Leur père est allé chercher la bière pour les garçons et on a fait de la limonade à la grenadine pour les filles. Claire a dit que personne ne serait là avant dix heures et que c'était l'heure normale pour les partys. Mes parents étaient partis le matin avec le *trailer* et du bagage pour dix jours, selon mon père. Ils rentreraient lundi ou mardi, ils verraient. Ça dépendait de la température. Mon père ne savait pas quand il retournerait travailler. La compagnie forestière avait fermé la division. Il y avait trop de danger pour les feux de forêt. Ma mère avait explosé. Ils allaient être une semaine ou peut-être même plus sans paye. Mon père a dit qu'il avait fait plein d'heures supplémentaires au cours des dernières semaines et que cela allait compenser. Elle s'est calmée un peu et il lui a parlé du camping de son cousin. Ma mère a crié : « Pas sur le bord du Saguenay ! » Non, il installerait la tente au pied de la montagne. Ma mère a peur du Saguenay. Elle a peur à cause de tous les noyés qu'on ne retrouve jamais. Moi, je connais juste le frère du camelot de *Progrès-Dimanche*. Il s'est suicidé en sautant du vieux pont de Sainte-Anne. Il a sauté juste au milieu, là où le pont s'ouvrait pour laisser passer les bateaux qui allaient en amont. Il n'a jamais été retrouvé mais on ne sait jamais, à chaque printemps, après la débâcle, ils découvrent tout le temps des cadavres de vieux noyés sur les rochers de Tadoussac.

Une fois mes parents partis, j'ai fait le ménage. Je suis restée longtemps assise à la table de la cuisine à ne rien faire. Je me suis fait un Quik et j'ai lavé ma tasse tout de suite. Tout était parfait, sans désordre. J'ai invité Judith à souper. Elle est allée chercher des frites au Casse-Croûte et j'ai fait des hamburgers. On a mangé, et à six heures on est parties avec Régis pour le tournoi de nuit. Comme d'habitude il y avait plein de monde. Toutes les équipes étaient là, même celles du Lac-Saint-Jean. Les autobus d'écoliers étaient stationnés à la queue leu leu, je les ai comptés avec Judith. Il y en avait dix-sept. Le restaurant du parc était bourré de monde et ils avaient ajouté des tables à l'extérieur. Nous avons regardé sur le tableau d'affichage l'heure de la partie de l'équipe de Marius. Judith tenait Régis par la main. Il bougonnait mais on ne pouvait pas le lâcher, il y avait trop de monde qu'on ne connaissait pas. Je lui ai promis un coke et un hot-dog et il nous a suivies dans les gradins. On était chanceux, il faisait beau et tout le monde disait que c'était mieux que l'année passée parce qu'ils avaient dû interrompre le tournoi à cause des orages. Régis était dur à tenir et Judith n'arrêtait pas de dire qu'elle était écœurée de l'avoir toujours sur le dos. À la fin d'une des parties, les bancs derrière le marbre se sont libérés et j'ai sauté par-dessus les gradins pour aller prendre les places, ce serait plus facile avec Régis. Il a passé une partie de la soirée, jusqu'à ce que l'on parte, debout la face collée sur la clôture à crier et à imiter ce qu'il entendait lors des parties des Expos. Il y avait tellement de monde que sa voix se perdait. On a eu la paix pour le reste de la soirée. À onze heures, l'équipe de Marius est arrivée et il y avait quelques joueurs déjà éméchés. Il y en a un qui est venu porter un coke à Régis et une calotte de baseball des Expos. Régis hurlait de joie. Tout le monde alentour a ri, même Judith qui n'aime pas beaucoup voir Régis s'énerver et attirer l'attention. J'ai cherché dans les gradins parmi les femmes des joueurs de l'équipe de Marius mais je n'ai pas vu Jacynthe Tremblay. Marius était toujours aussi beau mais ce n'était plus pareil. Nous n'avons pas arrêté de le regarder de la soirée. Je ne pouvais pas croire que c'était cette pimbêche qui se prenait pour une autre qui allait se marier avec lui. Elle n'était jamais à la balle, n'allait sûrement pas chez le barbier. Je me demandais comment elle avait pu le rencontrer.

À une heure, Judith et moi on n'en pouvait plus. On a essayé de rester encore un peu mais je cognais des clous et il fallait encore marcher jusqu'à la maison. On est reparties en traînant Régis de force. Il criait sur le chemin du parc. En arrivant devant les maisons du quartier, Judith l'a fait taire. Claire lui avait fait promettre de le faire rentrer dans la maison par la porte d'en avant. Il était hors de question qu'il aille les rejoindre en arrière. Ça faisait drôle de marcher dehors à cette heure-là. Il n'y avait personne et toutes les maisons étaient dans le noir. Judith a commencé à raconter des histoires de maniaque et je lui ai dit qu'on avait juste à crier pour réveiller le monde. Lorsqu'on est arrivés chez Judith, toutes les lumières étaient éteintes. C'était bizarre parce que Claire avait dit que le party ne finirait pas avant quatre ou cinq heures du matin. Judith est allée chez elle pour reconduire Régis et elle est ressortie en me disant qu'elle ne pouvait plus venir coucher chez nous, sa mère ne voulait pas. Je suis rentrée et j'ai allumé toutes les lumières de la maison. J'ai barré les portes et je me suis couchée. À cause des histoires de Judith, j'ai pensé au maniaque au bas de nylon de l'année passée. Les filles de l'école avaient raconté qu'il se promenait autour des maisons du quartier des vétérans, la face écrasée dans un bas de nylon, et qu'il avait attaqué deux vieilles. L'histoire avait paru dans le *Progrès-Dimanche* mais la police avait fini par l'arrêter. Il n'y avait pas eu moyen de connaître le nom du maniaque mais le bruit courait que c'était un vicaire d'une paroisse voisine. En tout cas, lui, selon ma mère, on l'avait jamais revu.

Le lendemain, je suis allée chercher Judith pour aller à la messe. Sa mère m'a dit qu'elle dormait encore et qu'elle viendrait me voir cet après-midi. Je suis allée seule à la chorale et j'ai bien chanté. Monsieur Fortin m'a dit qu'il ne me prendrait pas pour les funérailles et les mariages parce que je faussais une fois sur deux. Mais, si je voulais, je pouvais rester pour le dimanche. Avec le temps, je finirais peut-être par placer ma voix et respecter les tonalités. J'étais déçue, surtout pour l'argent. J'ai pris le semainier et l'annonce du mariage de Marius y était encore. Judith et moi, on avait décidé de venir à la sortie des mariés. On allait se cacher sur la galerie du salon funéraire pour les voir. Je suis rentrée seule chez moi et en passant j'ai vu que la pancarte « À vendre » des Soucy n'y était plus. Pour une fois, la pelouse était tondue et tout était propre à l'extérieur. Chez les Soucy tout avait toujours l'air à l'abandon. La porte du garage était fermée. Ça faisait drôle parce que le bonhomme Soucy passait son temps en camisole, assis sur le bord de la porte de son garage, à boire sa bière. Je suis rentrée dans la maison et, même si tout était propre pour une fois, j'ai trouvé ça plate.

Depuis que Marius allait se marier, c'était plus pareil. Ce n'étaient sûrement pas les garçons de l'école Saint-Charles qui passaient leur temps à boire de la bière jusqu'à vomir qui allaient m'intéresser. J'ai ouvert la télévision et j'ai regardé le *Laurence Welk Show*. Je ne comprends pas l'anglais mais j'aime regarder les danseurs et les robes des chanteuses. C'est l'émission préférée de madame Bolduc. Elle en parle tout le temps. Elle connaît les noms du couple de danseurs. Selon elle, ce sont les meilleurs du monde. Ils remportent toutes les compétitions aux États-Unis. Madame Bolduc aime les artistes. Elle est la seule du quartier à assister à la série de spectacles à l'auditorium Dufour. Elle reçoit un abonnement de son mari à chaque Noël. Elle a vu Charles Aznavour, Alain Barrière, Gilbert Bécaud, et son idole par-dessus tout : Enrico Macias. Lorsqu'elle revient de ces spectacles, elle en parle pendant des jours. Madame Bolduc fait partie du fan club d'Enrico, elle a une photo dédicacée qu'elle a mise dans un cadre sur son étagère de salon. Le vendredi, lorsqu'elle cire ses planchers, elle se repasse *Dis-moi ce qui ne va pas* à tue-tête pour enterrer le bruit de sa polisseuse.

Lorsque Judith est arrivée, je commençais à faire chauffer le ragoût que ma mère avait laissé pour moi. Elle n'avait pas faim. J'ai vu qu'elle n'allait pas bien et je suis allée chercher ses cigarettes dans le congélateur. Je lui ai donné le cendrier de mon père. Elle n'avait pas son briquet et s'est allumée sur le rond du poêle comme madame Bolduc lorsqu'elle vient voir ma mère et qu'elle est un peu saoule. Je n'osais pas parler parce que Judith peut avoir mauvais caractère, surtout lorsque ça va mal, et je n'avais pas envie de me faire répondre de façon bête. J'ai mis mon ragoût dans mon assiette et je lui ai passé le *Progrès-Dimanche*. Elle l'a feuilleté un peu et elle m'a dit que la gang des Blackburn était tous des écœurants. Personne du quartier Murdoch n'était venu au party. Claire s'était retrouvée avec deux filles de Chicoutimi-Nord avec qui elle partageait le taxi pour rentrer de la discothèque. C'est tout. Elle était encore dans son lit et elle avait pleuré toute la nuit. Elle avait fait une grosse crise et déchiré son nouveau couvre-lit rose. C'était mauvais pour elle de s'énerver comme ça juste après l'accident. C'était pire que pire, elle avait eu un accident à cause du cousin de Bruno. Lui, il n'avait rien eu et c'est elle qui perdait ses amis. Claire était certaine que ce n'était pas Bruno mais qu'il était manipulé par son cousin. Sa mère avait répliqué qu'ils étaient tous dans le même sac et cela avait empiré sa crise. Elle avait fini par prendre des calmants qui lui restaient de son accident. Judith pensait qu'elle allait sûrement dormir toute la journée. Son père voulait que cette histoire finisse. Il irait chez les Blackburn pour régler le cas. Il avait peur que, si cela continuait ainsi, Claire ne se remette jamais.

Judith voulait aller aux bleuets. J'ai pris un plat dans l'armoire et je l'ai suivie. Nous avons monté la côte et passé sur le terrain du bonhomme Petit. Les pommiers étaient chargés de pommettes vertes. Ses vaches étaient derrière l'étable mais je savais par ma mère qu'il les avait vendues et qu'il abandonnait l'élevage. Les voisins du nouveau quartier se plaignaient des odeurs et, un matin, ils s'étaient levés avec les vaches en train de piétiner leur pelouse neuve. Je me suis assise sur le cap et j'ai commencé à ramasser même si c'est une des choses que je déteste le plus au monde. Judith, elle, peut rester des heures accroupie sur les rochers. Chaque année, elle part à la fin août avec son père et ses sœurs mariées cueillir des bleuets pour les vendre. Elle ramasse aussi des noisettes qu'elle vend épluchées et pesées. C'est son père qui secoue les poches de jute sur l'asphalte pour faciliter l'épluchage. Je passe souvent mes soirées à les aider même si ma mère répète à chaque fois que ce n'est pas en vendant des noisettes et des bleuets qu'on se met riche. Lorsqu'on est rentrées, on a mangé nos bleuets dans du lait évaporé, saupoudré de sucre. Judith les préfère avec de la crème mais nous n'en avions pas. On était dimanche soir, le soir le plus ennuyant de la semaine. C'était un drôle d'été. Tout allait de travers. Au moins, vendredi, on irait à la bonne sainte Anne et Judith resterait avec moi chez ma grand-mère jusqu'à la procession du soir. Elle venait pour la première fois et j'avais hâte qu'elle voie tous les flambeaux illuminés à perte de vue.

Quand je me suis levée, ma mère avait fini le bas de mon nouveau *jumper* gris. Il était exactement à la hauteur que je lui avais demandée. Ma blouse rose avait été repassée. Ma mère a dit : « C'est un peu chaud pour juillet mais tu l'auras pour rentrer à l'école. » Le rose de la blouse était de la couleur de la ligne des carreaux. J'étais contente parce que cela ne ressemblait pas à ce qu'elle avait fait pour la grosse Joëlle. La jupe était courte, aussi courte que celles de Judith et de Claire. Je me suis lavé les cheveux et j'ai attendu Judith. Nous sommes parties à pied. Il faisait déjà chaud. À la bonne sainte Anne, il fait toujours beau. On est allées tout de suite à l'église pour la messe des malades. Le devant de la nef est réservé aux invalides. Il y a plein de chaises roulantes et de religieuses tout en blanc qui s'occupent des malades et qui les lavent à l'eau froide pour les rafraîchir. Je ne lâchais pas les infirmes de vue au cas où il y aurait un miracle. C'était déjà arrivé mais il n'y avait pas comme à Sainte-Anne-de-Beaupré, où je suis allée avec ma grand-mère Fernande et son amie Lucia, des montagnes de béquilles et d'appareils de métal laissés à la porte par les miraculés. Après la messe on est sorties dehors et on s'est mises en ligne pour boire de l'eau miraculeuse et embrasser la relique. Ensuite, on s'est assises sur la clôture de pierre du vieux cimetière pour regarder l'autobus des Indiens qui arrivaient de Pointe-Bleue. Dans l'église, les Indiens vont droit devant la nef et se prosternent à terre. La cousine Gabrielle affirme qu'ils sont plus pieux que les Blancs et plus croyants et que Dieu les aime davantage. Moi, ça me gêne mais je ne peux pas m'empêcher de les regarder. À midi, on est allées chez ma grand-mère parce qu'on avait faim. Toute la famille est là et beaucoup de monde que je ne connais pas et qui n'arrête pas de dire que je suis grande et grosse pour mon âge. Je me faufile avec Judith à la table de la véranda, celle qui est réservée aux enfants. Mes frères sont là et ils ont leur chemise blanche déjà tachée de moutarde et de ketchup et ma mère leur fait des gros yeux pour qu'ils ne vident pas le plat de chocolat à pitons qu'ils mangent en même temps que leur sandwich au jambon et aux œufs. Elle finit par se lever pour les arrêter parce qu'elle est certaine qu'ils vont faire une indigestion. Judith et moi on s'est dépêchées de manger et on s'est assises dans le salon pour écouter les conversations des adultes. Chez ma grand-mère, ce n'est pas comme d'habitude. Les frères de ma mère n'ont pas bu et ils ne crient pas et ne lancent pas des objets contre les murs comme ils le font à chaque réveillon et qu'on rentre à la maison au plus vite parce que mon père répète tout le temps que leurs crises, ce n'est pas bon pour les enfants. Ils sont assis avec leurs amis au fond du salon et parlent ensemble. Ils prennent des cokes froids que ma cousine Gabrielle leur débouche au fur et à mesure et qu'elle fait passer. Elle porte un tablier orné de dentelle comme celui de la mère dans mon livre de bienséance vert. Elle va et vient entre le salon et la cuisine. À un moment donné, je suis allée lui porter des verres sales et des cendriers que ma grand-mère avait mis sur un cabaret de Noël. Ça faisait drôle de voir une maison sous la neige alors qu'il faisait aussi chaud. Aussitôt qu'elle m'a vue, Gabrielle est venue me prendre le cabaret des mains. C'est la personne la plus maigre que je connais. Ma mère dit qu'elle ne peut pas manger parce qu'elle a une maladie d'estomac. Elle ne digère pas. Elle se nourrit de soupe au poulet et de pouding au riz. Il n'y a que ça qui passe, selon Gabrielle. Elle a vu plein de docteurs, même à Montréal, et ils ne savent pas ce qu'elle a exactement. Elle vit avec deux de ses sœurs et, deux semaines par année, à la fin juin, elle va en retraite avec sa sœur religieuse dans le chalet de la communauté. Elle ferme son magasin de tissus, de toute façon, c'est tranquille. Les achats pour les mariages sont faits et ce n'est pas encore le début des classes. Lorsque nous y allons, au milieu d'août, elle laisse la boutique à son employée et nous montons avec elle à l'étage au-dessus où elle vit avec ses sœurs. Elles sont aussi maigres qu'elle. Le salon est rempli de tableaux qui sont éclairés par de petites lampes. Leur logement est immense et sombre, les sœurs Paré n'aiment pas la chaleur. Les toiles sont fermées en permanence. Elles ont une servante qui a de grosses jambes et qui, selon mon père, est le véritable patron de la maison. Elle travaille là depuis des années et vient tous les jours sauf le dimanche. Elles sont toutes célibataires. Ma mère croit qu'elles ne se sont pas mariées parce qu'elles étaient trop instruites pour les gars de la paroisse. Elles avaient fréquenté le couvent des Ursulines à Québec et, une fois revenues, Gabrielle avait repris le commerce de sa mère et sa sœur avait enseigné à l'école privée où ma mère n'a pas les moyens de m'envoyer. La dernière de la famille ne travaille pas à l'extérieur mais s'occupe des finances et des employés. Leur sujet de conversation préféré, ce sont les œuvres de la communauté de leur sœur religieuse. Elles ont donné beaucoup d'argent pour l'ouverture d'un séminaire en Afrique. Il y aura, grâce à leurs dons, plein de prêtres en Afrique qui en a tant besoin. Elles étaient certaines que leur sœur Cécile deviendrait la prochaine supérieure de la communauté. Lorsque nous revenions, ma mère tombait en pâmoison devant la belle éducation de ses cousines et répétait, pour la centième fois, que c'était normal qu'elles soient restées célibataires. Mon père finissait toujours par rajouter qu'on ne pouvait pas dire qu'elles étaient des beautés. Ma mère adorait ces visites. Elle pouvait passer des heures à parler avec Gabrielle et à examiner les tissus. Moi, je m'assoyais sur un tabouret et je feuilletais les catalogues de patrons. Gabrielle en avait toujours de nouveaux.

Gabrielle me dit que ma mère a bien réussi mon *jumper* et que la blouse rose m'allait bien. Elle a rajouté :

— Les tissus à carreaux, c'est la grande mode cet automne avec le velours de soie. J'en ai reçu du beau vert pâle. Ta mère pourra te faire une veste maxi. On va en voir beaucoup cet hiver. J'ai répondu qu'on irait bientôt parce qu'il ne restait pas grand temps avant l'école. Elle n'en revenait pas que je rentrais déjà au secondaire. Judith et moi, on est reparties vers l'église et on s'est encore assises dans le vieux cimetière. Il y avait plein de monde et l'organisation du pèlerinage distribuait des petits gâteaux et du café. Judith a dit qu'elle trouvait ça long avant le début de la procession. On a traîné à l'entrée du presbytère, ils avaient installé un magasin d'objets de piété. Il y avait des chapelets, des crucifix, des images de la bonne sainte Anne, des églises de Sainte-Anne-de-Beaupré miniatures et des médailles. En sortant, j'ai rencontré Lucia, la meilleure amie de ma grand-mère Fernande. Elle m'a prise dans ses bras et j'ai senti son parfum cher qu'elle met à profusion, parce que les grosses personnes sentent plus que les autres. Je pensais qu'elle était avec ma grand-mère mais elle m'a raconté qu'elle était déjà partie avec mon oncle. Lucia et grand-maman Fernande passent l'été à courir tous les lieux de pèlerinage du Québec. Mon père prétend que c'est Dieu lui-même qui les protège parce que Lucia ne sait pas conduire et qu'elle est toujours dans la voie contraire du trafic. Moi, j'avais bien aimé aller à Sainte-Anne-de-Beaupré avec elles. Ma grand-mère avait apporté un pique-nique dans sa boîte en fer-blanc et on avait mangé sur une halte routière près du fleuve. Lucia avait pris de tout, deux fois, et lorsqu'on était rentrées ma grand-mère avait dit : « Pauvre Lucia, ce n'est pas comme cela qu'elle va maigrir.» Lucia mange toute la journée des sandwichs aux tomates mayonnaise et lit des piles de romans d'amour. Elle raconte tout le temps qu'elle a tout essayé pour maigrir. Tout le monde sait que le mari de Lucia a une maîtresse qui travaille dans un hôtel à Chicoutimi. Ma grand-mère Fernande dit que Lucia traverse une grosse épreuve et elle ajoute toujours son nom à sa liste de prières. Après les malades, les soldats, les enfants en Afrique, le bon cardinal Léger, les prisonniers, ma grand-mère finit par Lucia et demande au Sacré-Cœur de lui donner du courage.

Judith et moi on avait juste de l'argent pour acheter des médailles et on est allées les plonger dans la fontaine pour qu'elles soient encore plus miraculeuses. On s'est assises sur la pelouse pour attendre le début de la procession. Enfin, après la messe de sept heures, les pèlerins ont commencé à se mettre en ligne en face de l'église. On a allumé nos flambeaux et on a monté la côte jusqu'à la croix. On marchait souvent à reculons pour voir la rue tout illuminée. On n'est pas retournées avec les autres vers l'église pour le salut au présentoir. J'avais mal aux pieds et mes bas passaient leur temps à descendre. On a décidé de rentrer. Quand on est arrivées juste en face de chez Judith, elle a crié : « Enfin, elle l'a eue.» Derrière la voiture de son père, il y avait une auto sport neuve avec un cheval dessiné sur la porte. Judith a couru jusque chez elle. Je ne l'ai pas suivie, j'avais trop soif. Ma mère regardait les nouvelles. J'avais peur qu'elle explose. Elle avait dû voir la voiture. Elle a juste dit : «La folle de Claire a passé la soirée à faire le tour du quartier avec son nouveau char. Tu vas voir, on n'entendra plus jamais parler des Blackburn. » Je suis allée me coucher et j'ai serré fort mes médailles. J'ai encore demandé que ma mère arrête d'exploser. Peut-être que j'allais être exaucée.

Depuis l'accident de Claire, tout a changé. Même avec Judith qui est ma meilleure amie depuis toujours, ce n'est plus pareil. Elle passe ses après-midi au centre commercial avec Claire qui lui achète plein de linge à la mode. Elle a même des jeans Lois qui sont les jeans les plus chers du monde. Ma mère croit que Claire va tout dépenser l'argent que les Blackburn ont dû cracher pour avoir la paix en niaiserie et en maquillage. Moi, je garde presque tous les soirs et je passe mes journées toute seule à lire sur le bord de la pelouse en attendant que Judith vienne me voir. J'essaie aussi de ne pas penser au secondaire parce que j'ai trop peur. J'ai peur de ne pas trouver mon local et ça fait deux fois que je rêve que je pars pour l'école et que j'ai oublié de mettre mes pantalons. J'en parle à personne parce que j'ai trop honte. Ma mère coud presque jour et nuit dans la cave parce qu'elle doit finir le *jumper* de ma sœur et ses chemises blanches avant de commencer mes vêtements pour la rentrée. Elle a dit que nous irions chez Gabrielle samedi. Je ne sais pas ce qui m'a pris, j'ai explosé. J'ai crié que je ne mettrais pas le même linge que la grosse Joëlle et que, de toute façon, je gardais et je pouvais m'acheter du linge avec mon argent. Ma mère ne s'est pas énervée, elle a dit que mon argent servirait pour les fournitures scolaires et qu'elle me laisserait choisir mes patrons. Je pense qu'elle avait oublié ce qu'elle avait dit chez Lucienne ou peut-être qu'elle avait dit ça comme ça, pour parler ou pour ne pas faire de peine à Joëlle parce qu'elle fait assez pitié comme ça.

C'est un drôle d'été. On dirait que tout ce qui est arrivé avant l'accident de Claire n'existe plus : ni le concours de danse, ni Bruce, ni Bruno Blackburn, ni le mariage, ni rien. Claire ne sort plus le soir, elle s'enferme dans le boudoir et elle écoute des disques jusqu'à trois heures du matin. La musique est si forte qu'on l'entend de chez nous. Madame Lavallée a avoué à ma mère qu'elle allait craquer si les choses ne changeaient pas mais elle se taisait parce que Claire leur avait donné beaucoup d'argent. Évidemment, ma mère a encore radoté que tout ce qui lui restait à faire, c'était de retourner à l'école mais qu'elle ne le ferait pas parce que c'était une écervelée et qu'elle l'avait toujours su. Moi, avec Judith, c'est comme si j'étais mal à l'aise. Je n'ose pas reparler de l'accident de Claire, ni de ses cicatrices. Pourtant, c'est à cela que je pensais sans arrêt. Martial Turcotte répétait partout que la vie de Claire était finie et qu'elle allait rester vieille fille. Judith et moi, avant, on pouvait passer des heures à regarder Claire se maquiller, à la voir scruter chaque partie de son visage sur son miroir grossissant. Elle pestait sur chaque petite rougeur, sur chaque petit bouton. Elle se refaisait l'épilation des sourcils chaque jour. Elle ne tolérait aucun poil en bas de sa ligne. Elle commençait à se maquiller vers trois heures de l'après-midi et ne finissait qu'à cinq heures. Après, même si elle avait fini, elle gardait son miroir près d'elle et vérifiait son maquillage sans arrêt. À la moindre petite imperfection, elle le retouchait. Et là, il y avait ces deux cicatrices près de son œil gauche et il lui manquait un peu de cheveux à la tempe, à l'endroit où sa tête avait frotté l'asphalte. Depuis que c'était arrivé, chaque fois que je passais sur le lieu de l'accident, je pensais aux cicatrices de Claire. Lorsque j'étais près d'elle, je n'arrivais pas à regarder ailleurs. Elle les masquait avec du fond de teint mais ça faisait comme des taches. Elle avait commencé à voir un psychologue spécialisé pour les accidentés et ceux qui ont eu des traumatismes crâniens. Judith disait que les traumatisés crâniens, même s'ils ne perdaient pas la mémoire, devenaient d'autres personnes. Le psychologue qui s'appelait Gilles s'occupait aussi d'un centre d'accueil pour handicapés et avait commencé à s'intéresser à Régis. Claire ne parlait que de Gilles. Il la trouvait exceptionnelle. Elle répétait qu'il n'était pas beau, mais la beauté ce n'est pas tout dans la vie. Depuis son accident, Claire n'arrêtait pas de changer d'idée. Gilles croyait qu'il valait mieux pour Régis de commencer à fréquenter une école spéciale qui venait d'ouvrir et qu'il apprendrait à être autonome. Il pourrait se laver seul, s'habiller, prendre l'autobus de ville. Il gagnerait un peu d'argent de poche en remplissant des sacs de plastique de boulons et de clous. Peut-être même qu'on pourrait lui apprendre à mieux parler. Une orthophoniste le ferait répéter des mots au moins une heure par jour. Régis était devenu le sujet de Claire, et elle passait ses après-midi à le traîner au centre de rééducation pour le faire évaluer. Il subissait toutes sortes de tests psycho-moteurs pour mesurer ses capacités physiques et intellectuelles. Ma mère a répété cent fois qu'il était trop tard et que cet enfant aurait dû être placé il y a long-temps et que ce n'était pas en mangeant des hot-dogs tous les jours qu'il avait pu se développer. Régis avait vingt-cinq ans mais il était grand comme un enfant de dix ans et je ne pouvais pas me mettre dans la tête qu'il avait plus que deux fois mon âge.

Un soir, Claire est revenue du centre avec Gilles qui la suivait dans sa voiture. J'étais avec Judith sur leur galerie, mais avec le regard que Claire m'a lancé, j'ai déguerpi. Il était grand et maigre avec des cheveux gris assez longs. Il portait des lunettes teintées. Il est entré dans la maison en tenant Régis par la main. Je suis res-tée sur le bord de la pelouse longtemps. À un moment donné, il est sorti, seul. J'ai attendu Judith mais elle est restée chez elle toute la soirée. Je ne lui ai pas téléphoné parce que j'avais peur d'entendre sa mère crier qu'on ne pouvait pas se lâcher et que j'étais fatigante. Le len-demain, j'ai vu Judith partir avec Claire et Régis et le soir je gardais chez les Leclerc à partir de quatre heures, ils allaient dans un barbecue chez des amis. J'ai fait sou-per les garçons, je les ai lavés et couchés. Madame Leclerc m'avait mis une couverture sur le divan parce qu'ils allaient arriver tard. Lorsqu'ils sont revenus, monsieur Leclerc m'a proposé de venir me reconduire.

J'ai refusé. En passant par la haie des Lemay, j'arrivais plus vite. La rue était tranquille, tout le monde dormait. Juste avant de traverser la haie, j'ai vu la voiture de Gilles stationnée derrière le camion de laitier de monsieur Imbeault. Je suis allée me cacher au coin de la maison des Lemay et j'ai vu Claire et Gilles en train de s'embrasser. À un moment donné, elle s'est assise sur lui et ils sont restés là longtemps. J'ai fini par rentrer mais je ne me suis pas couchée. Plus tard, j'ai entendu la voiture de Claire. Je me suis endormie dans la chaise.

Le lendemain, Judith est venue me voir et elle avait envie de fumer. On est allées sur le perron de l'école et elle m'a annoncé que Régis irait au centre de réadaptation en septembre. Gilles avait réussi à convaincre ses parents. Il connaissait son domaine. Il était allé des années à l'université. À l'entendre, Régis changerait du tout au tout. Il partirait le matin en autobus et rentrerait vers cinq heures. Selon Gilles, il allait progresser à pas de géant, du moins dans les premiers temps, et au centre il mangerait de façon plus équilibrée. Je n'ai pas parlé de ce que j'avais vu la veille. C'était la première fois que je cachais quelque chose d'important à Judith. Je savais aussi que je n'en parlerais à personne, surtout pas à ma mère. Je ne comprenais pas pourquoi Claire avait fait cela. Quand j'y pensais, ça me mettait mal à l'aise. Je savais que Gilles était marié.

On a traîné longtemps sur le perron de l'école, à ne rien dire.

Ma mère a plié la liseuse bleu pâle en deux, et l'a mise dans sa boîte. Je trouvais que cela ressemblait à une robe de baptême dans une autre couleur. Ma mère croit que ce sera pratique. Lisette ne s'habille jamais, ce sera plus chaud sur sa jaquette. En partant, elle s'est retournée et m'a avertie : « Ne t'avise pas de me suivre, Lisette n'est pas forte, elle est à peine sortie de l'hôpital. » J'ai attendu que ma mère tourne le coin de la rue et je l'ai suivie. Cela ne faisait pas deux minutes qu'elle était entrée dans la maison que j'avais le pied dans la porte. Je savais qu'elle ne pourrait rien dire parce que Lisette est toujours contente de me voir et me fait une place sur la chaise à côté d'elle. Elle n'a pas d'enfant. Elle me fait des compliments et dit toujours que j'ai de beaux yeux comme ceux de mon père. Elle répète en riant que, quand il était jeune, toutes les filles voulaient sortir avec lui, mais lui ne voulait que Simone même si elle ne le regardait même pas. Lorsque ma mère m'aperçoit, il est déjà trop tard. Je suis déjà dans le passage qui donne sur le boudoir de Lisette. On dirait que l'odeur de cigarette est plus forte que d'habitude. Les paquets de Matinée vides traînent sur sa table à côté de ses pilules. Ma mère lui prend les mains et Lisette a les larmes aux yeux en voyant la boîte à cadeau. Elle la met sur la table à côté sans l'ouvrir. Elle replace un peu ses cheveux et je dois lui donner son miroir et son rouge à lèvres qui sont sur la commode. Elle dit à ma mère qu'elle n'est plus montrable. Elle a pris vingt livres à cause des médicaments. Le médecin lui a dit que ça allait partir avec le temps, mais elle n'a le goût que de manger du sucre. Elle me montre les boîtes de chocolat qu'elle a reçues pour m'en offrir mais je n'ose pas en prendre. Je dis merci. Ma mère est assez en maudit comme ça. Lisette raconte qu'elle a été bien traitée et que les chocs électriques qu'elle a reçus, elle ne les a pas sentis. Ce n'est plus ce que c'était, maintenant ils donnent des pilules pour engourdir. Elle constate chaque jour que cela lui a fait du bien. Elle ne dort plus toute la journée et, le soir, elle va même s'asseoir sur la galerie. Il y a des années qu'elle n'avait pas fait cela. Elle et ma mère parlent de Lucienne et de Joëlle, qui est en train de devenir infirme, et que toute cette histoire de glandes n'est pas vraie. Lucienne devrait arrêter les galettes aux patates. Ensuite, elles abordent leur sujet favori, leurs années à l'école normale, le dortoir, le gruau infect, tellement infect qu'elle et ma mère n'en ont plus jamais avalé une seule bouchée et que le seul fait d'y penser leur donne mal au cœur. Elles parlent des sœurs, des compagnes qu'elles avaient, du manuel de bienséance que j'ai eu aussi en première année, mais elles, elles se devaient de l'apprendre par cœur. Elles n'avaient jamais pensé se marier et aboutir sur la rue Mésy. Elles devaient enseigner et rester célibataires. C'était leur vocation. Lisette

n'en revient pas à quel point on les gardait dans l'ignorance. Elles rient. Ma mère parle encore des sœurs et
Lisette ajoute qu'elles étaient sadiques. Lisette utilise
beaucoup de mots que je ne connais pas, ma mère dit
que c'est parce qu'elle lit beaucoup et qu'après l'école
normale elle est allée à l'université pendant un an.
Elle avait eu une bourse. Mais elle est tombée malade
et heureusement qu'elle a rencontré son mari parce
qu'elle ne sait pas trop ce qu'elle serait devenue. Selon
ma mère, c'est un bon gars et il a toujours pris soin de
Lisette. Il répare des voitures accidentées dans le garage
à côté de la maison. Comme ça, il peut toujours être
près d'elle. Il fait tous les repas et ma mère trouve que,
pour un homme, sa maison est bien entretenue. Ma
mère demande à Lisette d'ouvrir la boîte parce qu'elle
doit rentrer faire dîner les enfants. Lisette essaie la
liseuse et s'emmêle dans les rubans qui pendent de partout. Ma mère lui montre comment l'attacher. Lisette
se regarde dans son petit miroir. Elle est contente, elle a
souvent froid assise comme cela. Ma mère a fait confec-
tionner la liseuse par la sœur de mon père qui a des
doigts de fée. C'est ce qu'elle raconte à Lisette mais je
sais que ma mère la trouve insignifiante et soumise. Elle
le répète à chaque jour de l'An. Le mari de Lisette passe
la tête à travers la porte, il n'entre pas, il est trop sale. Il
doit se laver avant de préparer le dîner. Il regarde les
cigarettes de Lisette se consumer dans le cendrier. Elle
en allume parfois deux à la fois, elle oublie qu'elle a déjà
commencé à en fumer une. Avant qu'on parte, elle
ramasse des vieux *Paris Match* qu'elle donne à ma

mère. Moi, ça ne m'intéresse pas parce que je ne connais personne mais il y a souvent des articles sur Grace Kelly et le prince Rainier et ma mère les lit du début à la fin. Selon elle, Grace Kelly est la plus belle femme du monde et elle examine chacune des robes qu'on voit sur les photos. Moi, je ne regarde que les images. J'aime mieux lire l'*Échos Vedettes* parce qu'au moins je connais tout le monde.

Judith m'annonce qu'elle n'ira pas aux bleuets cette année. Ils n'ont pas besoin de cet argent. D'habitude, elle part une semaine avec son père et deux autres de ses sœurs et leurs maris. Ils dorment dans une vieille roulotte qui reste dans le bois à longueur d'année. C'est un travail difficile. Les terrains sont accidentés, les cueilleurs sont mangés par les mouches et en plus ce n'est pas payant. Ma mère préfère cent fois coudre nuit et jour plutôt que de charrier des boîtes de bleuets dans des marécages. Judith m'a raconté qu'une fois son père a calé jusqu'aux épaules dans des sables mouvants. Ce sont ses beaux-frères qui l'ont sorti de là. Il faut faire attention parce qu'on ne voit pas les trous, ils sont cachés par des tapis de mousse. Une fois, elle s'était retournée et, au lieu de son père, il y avait un ours juste à côté d'elle qui mangeait à même les boîtes déjà pleines. Dans le bois, elle en voyait presque tous les jours mais c'était la première fois qu'il y en avait un d'aussi proche. Elle avait crié et était partie à courir même si c'est la dernière chose à faire. Lorsqu'elle revenait, elle achetait ce qu'il lui fallait pour l'école avec l'argent des bleuets. Elle allait aussi aux noisettes mais, en général, ils partaient le matin et revenaient le soir. Les noisettes, il y en avait plein juste à côté de la plage de Shipshaw. Parfois, le samedi, je partais avec eux. Le soir, nous comptions les noisettes et faisions des sacs de deux cents ou de trois cents. On mettait la pancarte « Noisettes à vendre » et on passait le dimanche assises sur le talus à attendre les acheteurs.

Depuis que Claire a sa voiture, Judith se promène souvent avec elle le soir. Elle m'a annoncé qu'elle ne viendra pas avec moi à la sortie du mariage de Marius. Elle ira au centre commercial avec Claire pour acheter ses fournitures scolaires.

Moi, je devrai aller à la polyvalente une journée de la semaine prochaine parce que, pour ma classe spéciale, il y a une journée d'accueil avec un dîner communautaire. Il faut apporter de l'argent pour payer le repas. Sur la lettre, il est indiqué que le directeur, monsieur Lecours, nous recevra à neuf heures à l'entrée principale. J'en veux à ma mère de m'avoir forcée à faire les tests. Je ne connais personne. Je n'ai jamais mis les pieds à la polyvalente et je ne sais même pas où est l'entrée principale. Je convaincs Judith qu'on devrait aller explorer les alentours avant notre première journée. La poly est sur le chemin du parc de la Colline. Elle dit O. K., on y va tout de suite. Elle écrase sa cigarette et on part. La cour de la poly est mille fois plus grande que celle de l'école Sainte-Claire et il y a un grand stationnement pour les professeurs. Tout est désert. Il n'y a personne. Nous nous approchons et je vois une pancarte « Entrée principale », au moins, je sais où c'est.

Judith et moi regardons à l'intérieur et on ne voit que des cases, pas des crochets comme à notre ancienne école, non, des centaines de cases de métal gris. J'avais lu sur ma liste qu'il fallait un cadenas à numéros. Je comprends que c'est pour la case. En revenant, on décide d'aller voir le chantier du nouvel hôpital. Ils vont construire un hôpital psychiatrique en face de la polyvalente. Les fous n'auront plus besoin d'aller jusqu'à Québec pour se faire soigner. Martial Turcotte a passé l'été autour du chantier. Lorsqu'il nous voit, il vient nous frôler avec sa bicyclette. Mon père prétend que les Turcotte vont construire leur nouveau garage avec ce qu'ils ont volé sur le chantier de l'hôpital. Il répète que c'est pour ça que le grand fainéant de Martial est toujours en train de flâner dans les parages. Ma mère pense qu'il va finir à l'institut comme son frère et qu'on n'a pas besoin de se demander où les Turcotte prennent leur argent. Selon elle, le bonhomme passe son temps à voler sur les terrains de l'Alcan. Mon père prévient souvent ma mère à propos des Turcotte. Il répète : « Simone, fais attention, les Turcotte, c'est pas des enfants Jésus. »

Jacynthe Tremblay tient son voile à deux mains, une des marguerites en tissu qu'elle a plantées dans sa postiche s'est détachée et s'envole au vent. Elle a enlevé ses lunettes et, avec sa perruque, elle est plus grande que Marius. Ça fait bizarre. J'ai eu du mal à le reconnaître dans son complet. Il a l'air vieux, il est beaucoup moins beau que dans son habit de joueur. Je ne suis pas la seule qui les regarde sortir de l'église et prendre des photos. Tous les membres de la chorale sont sortis et il y a plein de bonnes femmes que je ne connais pas. Ce n'est pas le plus gros mariage que j'ai vu, en plus, il vente tellement que le chauffeur de l'auto décapotable est en train de remonter le toit. Judith n'est pas venue, et toute seule c'est plate. Je repars tout de suite. Je n'attends même pas que les mariés entrent dans la voiture.

Ma famille est encore au camping. Mon père voulait en profiter parce que c'était une des dernières fins de semaine de l'été. Ma mère a bougonné qu'elle avait trop de couture mais mon père a embarqué la machine avec un gros fil d'extension. Elle pourra coudre pendant qu'il s'occupera de mes frères. Ma sœur passe la fin de semaine chez les Bolduc à leur camp de pêche. J'ai la maison pour moi et c'est tout propre. Je m'ennuie parce que je suis souvent toute seule. On dirait que Judith est devenue la meilleure amie de Claire. Pourtant, avant son accident, Claire n'arrêtait pas de la traiter de chien de poche et souvent elle la faisait pleurer. Je passe la journée à lire et à attendre Judith. À quatre heures, elle est venue me voir avec un gros sac plein de ses fournitures scolaires. Elle avait même du cellophane collant pour couvrir ses livres et des cahiers Duo-tang avec des papillons. Tout ce qu'elle avait était à la dernière mode. Je savais que je pourrais m'acheter des Duo-tang comme elle, mais pour couvrir les livres ma mère ne voudrait jamais. Elle trouvait que c'était de l'argent gaspillé et elle utilisait du papier brun comme dans son temps. Judith ne voulait pas m'accompagner chez les Leclerc. Elle allait au ciné-parc avec ses sœurs. J'ai dit O. K. et je l'ai invitée à souper au Casse-Croûte. Judith n'a pas beaucoup d'argent de poche. On a attendu un peu pour avoir une loge et j'ai commandé un hot-hamburger et Judith un club sandwich extra mayonnaise qu'elle a eu du mal à finir. On a commandé un café filtre mais cela m'a tombé sur le cœur dès la première gorgée et je ne l'ai pas bu. Judith a mis trois sachets de sucre dans le sien et elle l'a fini. Elle avait pris l'habitude d'en boire avec Claire au centre commercial.

Je suis retournée chez moi, et à sept heures je suis partie garder chez les Leclerc. J'ai fait le grand tour parce que Rose Lemay était dehors sur son patio et avait de la visite. Le patio datait du début de l'été et, tous les samedis soir, les Lemay recevaient. Elle avait fait installer une piscine hors terre et, quand il faisait très chaud, on les regardait se baigner de notre cour. Il ne fallait pas que ma mère nous surprenne parce qu'elle explosait. Les piscines hors terre sont chères et nous n'aurons jamais les moyens d'en avoir une. En plus, ma mère ne pourrait plus avoir de jardin. Mon père pense que c'est une dépense inutile parce qu'au Saguenay il fait beau un été sur deux et que, c'est prouvé, il y a des machines à pluie. En plus, on pouvait aller à la piscine du parc de la Colline et, cet hiver, la nouvelle piscine intérieure qu'il construisait à côté du nouvel hôpital serait prête et on pourrait s'inscrire à des cours de natation.

Madame Leclerc a fait comme d'habitude. Elle a dit à son mari de se dépêcher, qu'ils allaient être en retard. Elle m'a raconté qu'il a toujours été ainsi et, même lorsqu'ils sortaient ensemble avant de se marier, elle l'attendait toujours parce que, pour un homme, il prend beaucoup de temps à se préparer. Moi, je trouve qu'il met trop d'after-shave et cela sent dans toute la maison. Il a plein de bouteilles de toutes sortes de marques. Avant de garder ici, je ne savais pas qu'il en existait autant. Mon père prend toujours la même bouteille avec un bateau dessus et ils en vendent à l'épicerie Desmeules. J'ai lu un livre de docteurs et d'infirmières. Madame Leclerc en a toute une série mais elle dit qu'elle en a trop lu, cela ne l'intéresse plus. C'est toujours la même histoire. Elle s'est abonnée à un nouveau club de livres et a découvert une Chinoise qui n'est pas une vraie Chinoise parce qu'elle vit en France et qui s'appelle Han Suyin. Elle a déjà fini le livre et en a commandé d'autres.

Elle ne l'a pas parce qu'elle vient de le prêter à une autre infirmière. Mais après, si je le veux, il n'y a pas de problème. Madame Leclerc trouve que je lis vite, je peux passer un livre d'infirmières et de docteurs dans deux soirées. J'ai écouté le *Ciné-Club* du canal 12. Madame Leclerc m'avait prévenue que le film annoncé avait l'air bon. Le samedi soir, c'est le ciné-club et il y a un professeur du nouveau cégep qui présente les films. Il se mêle dans ses feuilles et n'a pas de cravate mais un col roulé. Lorsqu'il se trompe, il rit et se reprend. Le film de ce soir est un film avec Richard Burton et Elizabeth Taylor, c'est l'histoire d'une peintre qui tombe en amour avec un pasteur déjà marié. Cela se passe dans une petite ville de Californie. C'est le plus beau film que j'ai jamais vu. La peintre vit dans une maison qui surplombe l'océan et elle a un atelier rempli de tableaux. Sa maison est à la campagne et elle envoie son fils dans un pensionnat. C'est là qu'elle rencontre le pasteur pour la première fois, puis il vient la voir et le film raconte leur histoire d'amour. Ils doivent renoncer parce que le pasteur est marié. À la fin, j'ai pleuré. La peintre est une femme très douce qui ne fait que l'attendre et n'exige rien. J'avais dû m'endormir parce que, lorsque madame Leclerc m'a réveillée, la télévision était ouverte. Je suis revenue à pied à travers la haie des Lemay et j'ai encore vu l'auto de Gilles stationnée en arrière du camion de laitier. Claire et lui étaient en train de parler et à un moment donné elle est sortie. Je suis rentrée à plat ventre sous la haie et j'ai attendu un bon bout de temps avant de rentrer. J'avais les bermudas tout tachés de

144

terre et je saignais un peu de la main. Je suis passée par en arrière et j'ai vu par la fenêtre que l'auto de Claire était déjà stationnée. Elle était rentrée. J'ai laissé les lumières allumées et je suis allée me coucher. J'ai eu du mal à m'endormir. Je voyais bien que Claire et Gilles se cachaient. Je me suis dit qu'elle avait honte qu'on le sache parce qu'il était marié et vieux. J'ai pensé que l'accident l'avait rendue folle. J'avais été chanceuse qu'elle ne me voie pas. Une minute avant et on tombait face à face. Le lendemain, en me regardant dans le miroir, j'ai vu que j'avais la joue toute rouge comme si un chat m'avait griffée. Lorsque ma mère est rentrée, elle m'a demandé où j'étais passée. J'ai menti. Je lui ai dit que je m'étais égratignée en allant voir s'il y avait beaucoup de noisettes dans la forêt noire. J'avais peur qu'elle explose et qu'elle parte sur sa chanson que je suis toujours en train de me mettre les pieds dans les plats et que j'étais comme ça depuis que je suis toute petite. Quand elle partait là-dessus, elle n'en finissait plus et tout y passait : comment j'avais rapporté toutes les maladies de l'école, de la rubéole à la coqueluche, et que j'avais contaminé toute la famille. Comment je m'étais renversé le pied deux fois de suite en jouant au ballon-prisonnier. Cette fois-ci, elle a juste ajouté que j'aurais l'air fin mardi à la journée d'accueil. Mais c'est plus fort que moi, même si elle n'explose pas, on dirait que je l'entends quand même, comme un disque qui partirait tout seul.

Le directeur, monsieur Lecours, n'arrête pas de replacer sa mèche de cheveux vers l'avant. Il tente de cacher sa calvitie. Un grand derrière moi qui s'appelle Luc dit qu'il porte bien son nom. Monsieur Lecours est très petit. Nous sommes deux, trois qui l'avons entendu et nous sommes pris d'un fou rire. Une fille à côté de moi qui est habillée en survêtement et qui porte des espadrilles n'est pas capable de s'arrêter et nous repartons de plus belle. Monsieur Lecours nous présente tous les professeurs sauf celui de latin et de grec qui n'est pas encore arrivé. Les autres profs se moquent un peu et disent que c'est parce qu'il est sur une enquête très importante. Monsieur Lecours dit que certains d'entre nous le connaissent peut-être parce qu'il est journaliste au *Progrès-Dimanche* la fin de semaine. Le professeur d'histoire prend la parole et nous demande pourquoi les Vietnamiens parlent français. Nous ne savons pas quoi dire. Tout ce que je sais, c'est qu'il y a une guerre entre les États-Unis et le Vietnam parce qu'on en parle aux nouvelles. Il affirme que l'histoire, c'est important parce que cela explique le présent. Presque tous mes professeurs seront des hommes sauf en géographie et en anglais. C'est la première fois que ça m'arrive. Tous les hommes que je connais travaillent à l'usine à papier ou dans le bois. Les professeurs vont nous rencontrer l'un après l'autre pour nous expliquer leur programme. Tout sera fini autour de trois heures. À midi, tout le monde se présentera. Monsieur Lecours parle encore du programme-pilote et nous explique que nous entreprenons les cinq années les plus importantes de notre vie parce que, après avoir fait un bon secondaire, on pourra entreprendre toutes les études qu'on voudra. Il explique que nous sommes la crème de la crème et il compte sur nous pour donner l'exemple à tous les secondaires un. Il répète cent fois que nous sommes privilégiés et que, contrairement aux autres élèves de notre niveau, nous aurons accès à toutes les sections de la bibliothèque et nous pourrons utiliser les petits locaux pour travailler en équipe comme les secondaires cinq. Le projet en est à sa première année. Il est très content que ce soit notre polyvalente qui ait été choisie. Après, nous allons dans des locaux pour rencontrer nos professeurs. Il y a la partie neuve de l'école et la vieille partie. Dans la vieille partie, nous n'aurons que notre cours d'arts plastiques. Les autres locaux sont occupés par les étudiants des cours professionnels. Je panique déjà, je ne sais pas dessiner. Le professeur a un accent français et il est nu-pieds dans ses sandales. Il nous montre la classe, les armoires à peinture, les pinceaux. La fille en survêtement passe son temps à passer des commentaires. Elle fait rire tout le monde sauf le professeur qui s'appelle Stanislas et qui la prévient qu'elle ne passera pas l'année à le faire chier.

Tout le monde a ri de plus belle. Je n'avais jamais entendu un professeur parler de cette façon. À midi, avant le dîner, on est tous allés en avant pour se présenter. J'ai dit mon nom et le nom de mon école primaire. Un des professeurs m'a demandé mon passe-temps. Je ne savais pas quoi dire, je n'allais sûrement pas répondre d'aller voir la balle au parc de la Colline. La fille avant moi avait parlé de ses cours de guitare et aussi elle avait ajouté qu'elle écrivait des poèmes et qu'elle avait un cahier qui en contenait au moins deux cents. Je ne sais pas ce qui m'a pris, mais j'ai raconté qu'on avait vendu notre chalet et qu'avant, ce que j'aimais le plus, c'était de me baigner dans le lac et aussi, le matin, de déterrer les bines que ma mère avait fait cuire toute la nuit dans la cendre de notre feu de camp et j'ai ajouté que, maintenant, ce que j'aimais le mieux, c'était de lire. Le professeur de français m'a demandé quel genre de livres je lisais et je lui ai parlé des *Brigitte,* de la biographie d'Édith Piaf, du livre *Un certain sourire,* et là je ne me rappelais pas le nom de l'auteur. Il l'a su tout de suite. Il m'a proposé de me suggérer des livres. Tout le monde est passé et tout le monde avait un vrai passe-temps : des cours de trompette, des cours de gymnastique, des cours de danse. Dans ma rue, à part les filles de Rose Lemay, personne ne prenait des cours, ça coûtait cher et en plus mon père était parti dans le bois toute la semaine. Il n'y aurait eu personne pour me reconduire. Pour les cours de natation, il fallait attendre que la piscine de l'hôpital psychiatrique soit prête. Quand tout le monde a eu fini, on est allés manger. Il y avait un buffet. Il fallait prendre son assiette et choisir ce qu'on voulait. C'était la première fois que je mangeais dans un buffet et j'ai regardé faire les professeurs. J'ai pris de la salade de macaroni, des sandwichs aux œufs et un Saguenay Dry. Je suis allée m'asseoir avec la fille qui écrivait des poèmes et celle habillée en survêtement. Elle, elle faisait de l'escrime et s'appelait Gyslaine. Elle a encore imité le prof d'arts plastiques. Elle reproduisait l'accent à la perfection. On a ri. Le prof de français est venu s'asseoir avec nous et m'a parlé de mes lectures. J'étais un peu gênée. À la fin, moi et Gyslaine, on s'est donné nos numéros de téléphone. Elle a promis de m'appeler avant de commencer l'école et on a décidé de prendre notre case une à côté de l'autre. Elle connaissait l'école par cœur parce que sa mère était professeur pour les mésadaptés et qu'elle venait souvent la chercher avec son père. Je ne savais pas ce qu'étaient des mésadaptés. Elle m'a expliqué que c'étaient des enfants attardés et agressifs qui ne pouvaient pas étudier dans les classes normales. Il y en avait qui se fâchaient tellement qu'ils lançaient des chaises et des pupitres. Sa mère devait faire venir les gardes de sécurité. Mais, selon Gyslaine, avec le gros Bob, ils se calmaient vite. Elle m'a dit que j'allais le connaître parce qu'il se promenait au milieu des cases le matin et le soir et que, c'était connu, il n'avait peur de personne, même pas de la petite gang de durs de Saint-Luc.

Il ne restait qu'une semaine avant de commencer l'école. Ma mère est en train de raconter à madame Bolduc à quel point le programme que je vais suivre est intéressant. Elle avait lu tous les documents que l'école avait envoyés et en relisait des passages à voix haute. Selon elle, j'avais beaucoup de chance. Je ferais presque un cours classique. Elle a encore répété que la seule manière de s'en sortir, c'était l'instruction. Madame Bolduc a eu sa réponse habituelle : « Vous, madame Simone, c'est pas pareil, vous avez fait l'école normale, vous êtes instruite, c'est pas comme nous autres. »

Madame Bolduc avait arrêté l'école à dix-sept ans et était partie travailler à Dolbeau dans une maison privée. Elle y avait rencontré son mari. À dix-huit ans, elle était déjà mariée. Petite, elle avait rêvé de faire l'Institut familial parce que les filles qui y étaient avaient la chance de rencontrer des futurs médecins et des futurs ingénieurs. Les sœurs arrangeaient des rencontres. Une fois sorties de l'Institut, elles savaient tout faire : de la broderie à la comptabilité. Elle est venue chercher son ensemble de voyage que ma mère lui a fait. Elle a apporté son billet d'avion. Je n'avais jamais vu de vrais billets d'avion. D'abord, ils vont en Allemagne pour une semaine et ensuite, ils se rendent à Paris où ils vont prendre un voyage organisé de huit jours à travers l'Europe. Elle ira à Rome et à Venise. Madame Bolduc est la première personne que je connais, à part Gabrielle, qui sera allée voir le pape. Ils passeront toute une journée à Saint-Pierre de Rome. Elle pleure un peu comme à chaque fois qu'elle parle de sa mère : « Elle était si pieuse, elle aurait tellement aimé voir le pape. » Je lui remets les billets et les brochures que l'agence leur a donnés. Je peux garder les brochures et aller lui rapporter plus tard. Je m'installe sur une chaise pour les lire. Il y a une description de leur itinéraire et, chaque jour, ils ont des périodes libres pour se promener. On peut voir des images de Paris, de Rome, de Florence. Je lis tout deux fois. Je pense qu'un jour je vais aller en France. J'irai au jardin du Luxembourg comme dans mes *Brigitte* et me promener sur le boulevard Saint-Michel comme la fille d'*Un certain sourire*.

Lorsque je suis retournée porter les brochures à madame Bolduc, elle était en train de faire ses valises au milieu du salon. Ma sœur et Line jouaient à la Barbie dans la cave. C'est Marthe qui va s'occuper des enfants. Elle porte la robe de maternité que ma mère lui a faite. Je sais qu'elle s'est mariée. Un petit mariage avec deux témoins. C'est monsieur Bolduc qui lui a servi de père parce que le sien ne lui parlait plus. Elle va garder la maison avec Stéphane pendant que les Bolduc seront en Europe. Madame Bolduc est inquiète parce que, même si elle est en cinquième année, Line n'est jamais allée à l'école toute seule la première journée. Je réponds qu'elle sera avec ma sœur et qu'elles sont grandes maintenant. Ma mère critique souvent madame Bolduc à propos de Line. Elle est certaine que si elle continue de la surprotéger comme cela, elle va en faire une niaiseuse. D'ailleurs, elle croit que c'est déjà commencé. Elle trouve Line pleurnicharde.

Dans le fond, j'étais contente de recommencer l'école même si j'avais un peu peur. Je m'ennuyais et, depuis l'accident de Claire, je voyais moins Judith. Ça me faisait de la peine mais c'est vrai que Claire faisait vraiment pitié et c'était normal qu'elle s'en occupe.

Quand je voyais Judith, elle me racontait tout le temps la même chose, l'entrée de Régis à l'école et les propos de Claire sur Gilles. J'étais incapable de lui dire que j'avais vu Claire l'embrasser. J'avais peur qu'elle se fâche et qu'elle me dise que j'inventais des histoires. Il y avait assez de ma mère qui me le répétait tout le temps.

Judith était certaine que Claire et Gilles étaient de grands amis et qu'il l'aidait à surmonter son accident. Toute la vie de Claire était à l'eau et ça me mettait mal à l'aise avec Judith. J'avais essayé une fois de reparler de Bruno Blackburn mais Judith n'avait rien répondu et était partie chez elle. Ces temps-ci, elle trouvait tout bébé. Elle n'avait pas voulu acheter des billets pour la soirée de clôture de l'exposition agricole. Il y aurait un gros spectacle avec les Baronnets, Tony Roman et Pierre Lalonde. Mon père avait promis de venir me reconduire même s'il trouvait que Tony Roman était un mauvais chanteur et qu'il n'y en avait pas un seul qui était aussi bon que Bing Crosby, son préféré. J'avais eu peur que ma mère explose mais elle a juste dit qu'on n'entendrait rien parce que le Colisée n'était pas fait pour les spectacles et qu'il y aurait une gang d'écervelées qui hurleraient comme des folles. Ça ne m'a pas dérangée et même si elle avait dit non, j'aurais désobéi. Pour rien au monde j'aurais manqué Pierre Lalonde. J'y serais allée à pied, même s'il fallait traverser le vieux pont de Sainte-Anne et que les trottoirs sont pleins de trous. Ça m'arrive de rêver que je suis sur le pont et que je tombe. Je me réveille toujours avec le cœur qui bat et j'ai de la difficulté à me rendormir parce que je pense à toutes sortes d'histoires. En bas du pont, c'est là que le courant est le plus fort et, si tu tombes, tu es aspiré par des tourbillons et tu te noies tout de suite. Personne ne sort vivant du Saguenay. Avant, il n'y avait pas de pont. Deux fois, il y a eu des naufrages. Mon arrière-grand-mère a vu trente personnes périr à vingt pieds du bord et on ne pouvait rien faire. Elle n'est jamais retournée à Chicoutimi de toute sa vie. Elle est morte avant qu'ils aient terminé la construction du pont.

Ma mère a raccroché. Elle m'a demandé : « Le grand Gilles Dufresne sort avec Claire Lavallée ? » Je ne comprenais pas comment elle pouvait toujours tout savoir. Même Judith ne le savait pas. J'ai répondu qu'ils étaient des amis. Ma mère a dit que toute la ville le savait. C'est en tout cas ce que lui avait appris Lucienne. Elle a ajouté qu'ils ne se cachaient même pas. Je savais que ce n'était pas vrai, les deux fois où je les avais vus, ils étaient presque dans le bois, cachés par le camion du laitier. Selon elle, Gilles Dufresne est un grand insignifiant. Elle se demandait pourquoi l'hôpital le payait. Une fois, il était allé chez Lisette et son mari l'avait mis dehors. Il voulait que Lisette sorte plus souvent. Cela l'avait tellement angoissée que le docteur Tremblay, qui la soigne depuis des années, avait dû venir lui faire une piqûre pour la calmer. Un fou qui s'occupait des fous, c'est ce que ma mère pensait de lui. En plus, il avait laissé sa femme et ses deux enfants au Lac-Saint-Jean. Ma mère ne comprenait pas. Il n'était même pas beau et n'avait pas l'air propre. Décidément, Claire Lavallée était une vraie tête de linotte, pour s'amouracher d'un tel escogriffe. Moi, tout ce que je savais de Gilles, c'est qu'il était plus instruit que tout le monde ignorant de la rue

Mésy. À l'hôpital et au centre, il avait de grosses responsabilités. Claire croyait comme lui qu'il fallait faire changer les mentalités, parce que les gens de la région étaient attardés et vivaient encore comme dans le temps de Maurice Duplessis. Moi, je trouvais qu'il était moins beau que Bruno Blackburn, et je ne savais pas comment Claire faisait pour l'embrasser. J'avais peur que ma mère aborde le sujet devant Judith. Heureusement, elle ne venait pas souvent ces temps-ci. Claire avait commencé à lui donner une cigarette de temps en temps en prenant un café à la cafétéria de chez Sears. Je me demandais ce qui allait se passer. Je savais que madame Lavallée ne serait pas contente d'apprendre que Claire sortait avec un homme marié.

Un matin, Gyslaine a téléphoné et elle m'a dit que je pourrais aller au magasin scolaire avec elle avant la première journée. Je lui ai donné mon adresse. Elle est venue me chercher avec sa mère. Je les attendais dehors. La mère de Gyslaine est une très grosse femme avec un chignon. Elle porte un gros collier de perles bleues assorti à son ensemble et elle est maquillée. Elle est sortie de la voiture et j'ai crié à ma mère de venir. Je ne voulais pas qu'elle entre dans la maison. Ma mère et elle se sont serré la main et ont parlé du nouveau programme. Elle a dit qu'elle espérait que Gyslaine se calmerait un peu parce qu'au primaire ça avait été une catastrophe, elle passait son temps en punition dans le coin de la classe. Elle croit qu'elle aurait dû écouter son mari et l'envoyer à l'école publique. Au couvent, Gyslaine n'était pas à sa place. Pendant qu'elle parle, elle n'arrête pas de sourire. Elle dit à ma mère que cette classe spéciale est le meilleur des deux mondes : un programme enrichi dans une école publique. Elle connaît bien les professeurs qui ont été choisis pour l'expérience. Ce sont les meilleurs. Une fois dans la voiture, elle m'a demandé ce que je voulais faire plus tard. Je ne savais pas quoi répondre. Tout ce que je savais, c'est que je devais faire des études, sinon ma mère me tuerait. Gyslaine, elle, serait professeur de gymnastique. C'est tout ce qu'elle aime faire dans la vie. Elle a raconté à sa mère que j'étais une championne de lecture et qu'elle n'avait jamais rencontré une personne qui avait lu autant de livres dans un seul été. Elle, lire, ça la faisait dormir. Sa mère a dit que je pourrais être professeur de français. Pour cela, il faut beaucoup lire. En arrivant, Gyslaine a embrassé sa mère et elle lui a dit qu'on la retrouverait à son bureau. Je l'ai suivie. J'étais complètement perdue. Elle m'a tout expliqué. Le plus dur, c'était de passer entre la vieille partie de l'école et la neuve, pour le reste j'ai compris qu'il y avait trois étages avec des sections et un grand escalier central. La fille du comptoir du magasin savait qu'on passerait et tout était déjà prêt. On a attendu longtemps dans le bureau de la mère de Gyslaine. Elle a eu le temps d'ouvrir tous les tiroirs, de téléphoner à son père, juste pour dire bonjour. Lorsque sa mère est revenue, elle a dit qu'elle avait faim et, vu qu'elle allait commencer son nouveau régime lundi, en même temps que l'école, elle avait envie de se payer un bon poulet barbecue chez Georges. Elle nous emmenait, Gyslaine et moi. C'était la première fois que j'allais chez Georges Steak House. Je savais où était le restaurant sur la rue Racine, mais je n'y étais jamais entrée. Je n'ai rien dit. On s'est assises dans une des loges qui sont deux fois plus grandes que celles du Casse-Croûte du Nord. En revenant, madame Simard s'est arrêtée chez Viau pour acheter des cornets.

Chez nous, ma mère a vidé mon sac et a étalé toutes mes affaires sur la table. Elle a passé une partie de l'après-midi à feuilleter mes livres. Finalement, elle les a couverts et les a empilés. Elle avait inscrit mon nom avec sa grosse écriture et je n'étais pas contente. Ça, j'aime mieux le faire moi-même. Le directeur de la chorale avait téléphoné et les répétitions recommençaient mercredi soir prochain. Je ne pourrais plus m'y rendre parce que le mercredi, c'était le soir du cours de danse des Leclerc et j'avais accepté d'aller garder. Madame Leclerc m'avait réservée au début de l'été. De toute manière, la chorale, ça ne m'intéressait plus depuis que Judith avait abandonné.

Judith m'a réveillée. Tout le monde dormait encore dans la maison. On était dimanche matin et, la veille, ils étaient tous rentrés tard. Ils avaient passé la journée à Tadoussac et à Sacré-Cœur pour voir une cousine de mon père qui a toujours du poisson frais à vendre. Une fois par année, ma mère dit qu'elle n'en peut plus, qu'elle a un goût de morue fraîche et on part tous à Sacré-Cœur. Cette année, je n'avais pas pu y aller parce que je gardais. Ils étaient revenus quelques minutes après moi, vers une heure du matin. Judith a pleuré. Je vais lui chercher des cigarettes et un cendrier. Je ferme doucement la porte de ma chambre. Je la laisse s'allumer et j'attends que la cigarette la calme. Elle a les yeux tout rouges et enflés :

— J'avais peur que la porte soit barrée.

— Ma mère la barre jamais, de toute façon, on ne trouve plus les clés.

Judith me parle tout bas.

— Claire est partie. Ma mère a eu des palpitations et on a fait venir le docteur. Il a dit que c'était la ménopause mais il va lui faire passer des tests pour son cœur. Le cœur, c'est grave. Elle aurait pas dû. À cause d'elle, ma mère va mourir.

Elle a recommencé à pleurer. Je me suis relevée pour aller chercher des kleenex.

Je ne comprenais pas ce qu'elle me racontait. Je lui ai demandé où Claire était partie et elle m'a dit chez Gilles. Ils allaient vivre ensemble sans être mariés. C'est pour cela que sa mère avait été malade. Claire avait dit qu'elle allait prendre ses meubles parce que c'était son argent. Elle allait leur laisser le divan et la télévision. C'est tout. Elle prenait tout ce qu'il y avait dans sa chambre, les deux lazy-boys, le tapis, les cadres, la table de cuisine. Gilles n'avait pas grand-chose parce qu'il avait tout laissé à sa femme. Elle leur avait annoncé cela hier soir, avant que Gilles vienne la chercher. J'ai dit : « Je trouve qu'il est vieux. » Judith m'a répondu qu'elle ne comprenait pas pourquoi tout allait si mal. D'abord l'accident et là, Claire qui partait avec un divorcé. Elle a dit le grand Gilles, et c'était la première fois que Judith parlait de lui de cette façon, il lui a monté la tête. Il lui a fait croire qu'au Saguenay le monde n'était pas évolué, mais qu'à Montréal il y avait plein de couples qui vivaient en union libre. Moi, j'avais déjà entendu ma mère parler de quelqu'un qui s'était accoté mais ça m'avait paru très grave. Je ne savais pas quoi dire. Claire sortait sûrement avec le grand Gilles parce qu'avec sa cicatrice elle n'avait plus le choix comme avant. Judith a dit en plus, Régis rentre à l'école lundi et tout est signé. Son père va être obligé d'aller le reconduire et de parler à Gilles. Il voulait tout canceller mais, avec sa mère malade, elle n'aura plus la force de s'en occuper.

On est montées dans la cuisine et le livreur du

Progrès-Dimanche est entré pour me donner le journal. J'ai sorti le Nescafé et le sucre parce que Judith aime le café sucré et j'ai fait chauffer l'eau. J'ai dit à Judith, parce que je ne savais pas quoi dire, que cela allait s'arranger et que ce qui était arrivé dans la famille du camelot était bien pire, son frère était au fond du Saguenay et on ne le retrouverait jamais. Je lui ai montré la carte de la tour Eiffel que madame Bolduc avait envoyée à ma mère. Je l'ai lue à Judith, elle disait qu'il faisait beau et qu'ils partaient pour l'Italie. Ils riaient beaucoup avec le groupe et ils avaient connu un couple d'Alma. J'ai dit à Judith que la carte avait failli arriver après eux parce que la France, c'était loin. J'ai ajouté que j'étais certaine d'y aller un jour et que je monterais en haut de la tour Eiffel. Elle m'a répondu que c'était impossible parce que c'était trop cher. Madame Bolduc avait pu y aller juste à cause que son frère était dans l'armée et que leurs billets étaient moins chers.

Lorsque Judith a entendu mon père se lever, elle est partie chez elle. Moi, j'ai passé l'après-midi sur le bord du terrain à l'attendre mais elle n'est pas revenue. À l'heure du souper, j'ai vu Claire et Gilles arriver. Je me suis demandé ce qui allait se passer. Je n'ai pas beaucoup dormi parce que, le lendemain, je commençais l'école. Judith devait venir me chercher à sept heures et demie. J'ai entendu mon père et ma mère se lever à cinq heures et mon père est parti pour le bois. Ma mère s'est encore plainte de passer sa vie toute seule. Ça m'a rendue triste parce que mon père, il ne pouvait pas travailler ailleurs, et ça lui faisait honte.

Je suis sortie pour attendre Judith. Elle avait mis une jupe courte et une veste blanche qui appartenaient à Claire. Moi, je portais mes pantalons à coffres et ma veste noire en velours frappé et une chemise blanche à manches courtes. J'avais mes souliers neufs à deux couleurs. Ils me faisaient un peu mal aux pieds mais le vendeur avait dit que le cuir allait étirer. Mon sac d'école était lourd. J'avais emporté tous mes livres pour les mettre dans ma case. En arrivant à la polyvalente, j'ai eu un peu peur même si je connaissais l'école. Il y avait une vingtaine d'autobus scolaires stationnés dans le parking. Les autobus étaient identifiés par une affiche dans la porte indiquant le nom des villages. J'ai entendu crier mon nom et lorsque je me suis retournée, Gyslaine arrivait derrière moi en jeans et haut de survêtement Adidas. Elle m'a expliqué qu'elle préférait prendre l'autobus que d'attendre sa mère qui prenait trop de temps pour se préparer. On est entrées et on a vu qu'il y avait des pancartes pour indiquer l'endroit où nous devions aller chercher nos horaires. Les professionnel court et l'enseignement général étaient séparés. Judith et moi, on s'est donné rendez-vous à la case pour aller dîner. J'ai suivi Gyslaine pour aller chercher mon horaire et la secrétaire nous a prévenues que les cours allaient commencer à neuf heures, le temps de nous familiariser avec les lieux. C'était ainsi pour toute l'école. Gyslaine et moi, on a regardé nos horaires et ils étaient identiques. Nous étions ensemble aussi en éducation physique, le seul cours où tout le monde était mélangé, même les élèves de la classe enrichie. À neuf heures, c'était le premier cours de latin. Je me suis assise à côté de Gyslaine et du gars qui s'appelait Luc. On a commencé à parler et à rire. Le professeur est arrivé au moins dix minutes après la cloche. Il a pris les présences et nous a fait un petit discours sur le fait que nous n'étions plus au primaire et que, s'il avait voulu être policier, il le serait devenu. Il nous a expliqué que le latin était très important pour comprendre le français. Gyslaine a chuchoté : « Yé fendant », et Luc a rajouté : « Mets-en ». J'ai ri un peu mais pas trop fort. Il a commencé le cours tout de suite et à la fin nous avions vingt mots de vocabulaire à apprendre et une déclinaison. En latin, les mots changent selon leur fonction. C'est la première phrase qu'il nous a fait copier. Je ne savais pas comment j'allais apprendre ça, c'était trop difficile pour moi. En sortant, il a dit à Gyslaine qu'il l'aurait à l'œil. Il connaissait sa mère. Elle lui a répondu que ça ne la dérangeait pas. Elle pouvait même aller la chercher s'il voulait. Tout le monde a ri, même lui.

On avait cinq minutes entre chaque cours pour changer de local. J'ai passé l'avant-midi à m'asseoir à côté de Gyslaine et de Luc. En maths, j'ai failli paniquer quand le professeur a commencé le cours. On aurait dit un fou. Il n'a même pas pris le temps de nous saluer. Tout ce qu'il a dit, c'est que le programme était chargé et que la moitié d'entre nous n'avait rien appris au primaire. Il l'avait vu dans les tests. En français, le prof nous a donné une composition à faire pour le lendemain et nous avons eu une dictée pour nous évaluer. Il n'y avait que deux ou trois mots que je ne connaissais pas. À onze heures et demie, j'ai attendu Judith à la case et on est parties dîner. Elle m'a raconté qu'il n'y avait pas un seul garçon dans sa classe. C'était normal pour un cours de secrétaire. Je n'avais pas envie de parler parce que j'avais peur de me mettre à pleurer. J'avais emporté mon livre de latin pour commencer à étudier après le dîner. Quand je suis arrivée, tout le monde était en train de manger. J'avais mal aux pieds et, dans la toilette, j'ai vu que j'avais une grosse ampoule mais j'ai gardé mes souliers neufs quand même. Ma mère a commencé à me questionner et j'ai éclaté. J'ai crié que je n'avais rien compris en latin et en maths et que je ne voulais pas retourner à l'école dans le groupe enrichi. C'était trop dur pour moi. Elle n'a pas explosé. Elle m'a dit d'aller me laver la face et de venir manger. Je n'avais quand même pas l'idée de finir comme Claire Lavallée et de travailler dans une pharmacie toute ma vie à vendre du maquillage. J'ai mangé le plus vite que je pouvais et je suis allée dans ma chambre pour commencer à apprendre ma première déclinaison. Je suis remontée pour attendre Judith et je n'ai pas dit un mot à ma mère. J'ai marché avec Judith en silence, elle a bien vu que j'avais pleuré mais elle connaît ma mère. En montant les marches, je lui ai dit que j'allais l'attendre à trois heures et demie au pied de l'escalier central. On irait aux cases ensemble. Elle m'a dit O. K. Quand j'ai vu Gyslaine, j'ai recommencé à pleurer. On est allées aux toilettes. J'avais peur. Si je ne passais pas mes cours, ma mère me tuerait. Elle m'a prise par le cou et elle m'a promis qu'elle m'aiderait. On est parties ensemble à la bibliothèque parce qu'on avait une période d'initiation. Le bibliothécaire est un homme nerveux et il est tout rouge. Gyslaine chuchote qu'il a trop serré le nœud de sa cravate et nous pouffons de rire. Il devient encore plus rouge et nous rions de plus belle. Il est surpris que les étudiants de la classe enrichie se comportent de cette façon. Je suis contente d'être amie avec Gyslaine. C'est elle la plus drôle de la classe. Heureusement, en histoire, j'ai tout compris. J'ai même répondu aux questions d'actualité. La cloche a sonné et j'ai pensé déjà. Le professeur nous avait fait rire. Il était le plus intéressant de la journée et nous l'avions demain matin au premier cours. Il n'a pas donné de travail, juste des pages à lire pour la semaine. Nous aurions un test de compréhension. Il a insisté : pas de mémoire, de la compréhension. On n'a pas besoin d'apprendre par cœur, juste de comprendre.

Je suis allée attendre Judith, je l'ai attendue longtemps et à un moment donné j'ai entendu quelqu'un crier : «Eh! On va barrer les portes.» L'homme était gros, il est venu à côté de moi et il était essoufflé. C'était le gros Bob. J'ai dit que j'attendais mon amie. Il m'a assurée qu'elle était partie et qu'il n'y avait plus un chat dans l'école. Un peu plus et j'allais être enfermée à l'étage des cases. Je suis allée chercher mes affaires et il a verrouillé les grilles derrière moi. Tous les autobus scolaires étaient partis. Il y avait juste deux professeurs dans le parking qui discutaient près de leur voiture. Je suis rentrée lentement, j'avais mal aux pieds. J'ai téléphoné chez Judith mais elle n'était pas là et sa mère m'a presque raccroché au nez. J'ai commencé ma composition de français. Nous devions faire le portrait de notre meilleur ami. J'ai commencé à parler de Gyslaine, de sa façon de s'habiller, de son humour, de sa passion pour l'escrime. À la fin, j'avais presque deux pages. Le professeur en avait exigé au moins une.

Lorsque Judith est arrivée, j'étais au sous-sol en train de finir de m'habiller. J'étais un peu en retard parce que ma mère m'avait demandé mes mots de latin. Je les savais par cœur. Je suis montée en courant et c'est là que j'ai vu qu'elle était maquillée. Elle avait du mascara, de l'ombre à paupières et du gloss rose sur les lèvres. Ça m'a gênée devant ma mère. Hier, pendant l'après-midi, elle s'était rappelé que Claire venait la chercher pour lui faire visiter son nouvel appartement. C'est pour cela qu'elle ne m'avait pas attendue.

En sortant, j'ai prévenu ma mère que je mangerais à la cafétéria pour avoir le temps d'étudier sur l'heure du midi. Je n'ai pas attendu sa réponse. Ce n'était pas vrai, je voulais rester avec Gyslaine et les autres. Ceux de ma classe mangeaient tous à l'école.

En marchant, Judith m'a décrit le nouveau logement de Claire et comment elle l'avait bien décoré. Ça ne m'intéressait pas. J'avais trop peur pour mon examen de latin et je repassais mes mots dans ma tête.

Marie-Claire Blais
Augustino et le chœur
de la destruction
Dans la foudre et la lumière
Noces à midi au-dessus de l'abîme
Soifs
Une saison dans la vie
d'Emmanuel

Elena Botchorichvili
Faïna
Le Tiroir au papillon

Gérard Bouchard
Mistouk
Pikauba

Jean-Pierre Boucher
La vie n'est pas une sinécure
Les vieux ne courent pas les rues

Emmanuelle Brault
Le Tigre et le Loup

Jacques Brault
Agonie

Chrystine Brouillet
Rouge secret

Katerine Caron
Vous devez être heureuse

Louis Caron
Le Canard de bois
Les Fils de la liberté I
La Corne de brume
Les Fils de la liberté II
Le Coup de poing
Les Fils de la liberté III
Il n'y a plus d'Amérique
Racontages
Tête heureuse

André Carpentier
Gésu Retard
Mendiant de l'infini
Ruelles, jours ouvrables

Jean-François Chassay
L'Angle mort
Laisse
Les Taches solaires

Ying Chen
Immobile
Le Champ dans la mer
Le Mangeur
Querelle d'un squelette
avec son double

Ook Chung
Contes butô
L'Expérience interdite

Joan Clarke
La Fille blanche

Matt Cohen
Elizabeth et après

Normand Corbeil
Ma reine

Gil Courtemanche
Un dimanche à la piscine à Kigali
Une belle mort

Judith Cowan
La Loi des grands nombres
Plus que la vie même

Esther Croft
Au commencement était le froid
La Mémoire à deux faces
Tu ne mourras pas

France Daigle
Petites difficultés d'existence
Un fin passage

Francine D'Amour
Écrire comme un chat
Presque rien
Le Retour d'Afrique

Fernand Dansereau
Le Cœur en cavale

Edwidge Danticat
Le Briseur de rosée

Louise Desjardins
Cœurs braisés
So long

Germaine Dionne
Le Fils de Jimi
Tequila bang bang

Christiane Duchesne
L'Homme des silences
L'Île au piano

Louisette Dussault
Moman

Irina Egli
Terre salée

Gloria Escomel
Les Eaux de la mémoire
Pièges

Michel Faber
La Rose pourpre et le Lys

Jonathan Franzen
Les Corrections

Christiane Frenette
Après la nuit rouge
Celle qui marche
sur du verre
La Nuit entière
La Terre ferme

Marie Gagnier
Console-moi
Tout s'en va

Lise Gauvin
Fugitives

Simon Girard
Dawson Kid

Douglas Glover
Le Pas de l'ourse
Seize sortes de désir

Anne-Rose Gorroz
L'Homme ligoté

Louis Hamelin
Le Joueur de flûte
Sauvages
Le Soleil des gouffres

Bruno Hébert
Alice court avec René
C'est pas moi, je le jure!

David Homel
Orages électriques

Suzanne Jacob
Les Aventures
de Pomme Douly
Fugueuses
Parlez-moi d'amour
Wells

Marie Laberge
Adélaïde
Annabelle
La Cérémonie des anges
Florent
Gabrielle
Juillet
Le Poids des ombres
Quelques Adieux
Sans rien ni personne

Marie-Sissi Labrèche
Borderline
La Brèche
La Lune dans un HLM

Robert Lalonde
Des nouvelles d'amis très chers
Espèces en voie de disparition
Le Fou du père
Iotékha'
Le Monde sur le flanc de la truite
Monsieur Bovary
ou mourir au théâtre

Imprimé sur du papier 100 % postconsommation,
traité sans chlore.

MISE EN PAGES ET TYPOGRAPHIE :
LES ÉDITIONS DU BORÉAL

CE QUATRIÈME TIRAGE A ÉTÉ ACHEVÉ D'IMPRIMER EN DÉCEMBRE 2007
SUR LES PRESSES DE MARQUIS IMPRIMEUR
À CAP–SAINT-IGNACE (QUÉBEC).